Nicolas de Largillierre

Musée Jacquemart-André

Institut de France

Nicolas de Largillierre

1656-1746

Exposition

du 14 octobre 2003 au 22 février 2004

REMERCIEMENTS

M. Jean-Pierre Babelon, membre de l'Institut et Président de la Fondation Jacquemart-André et M. Bruno Monnier, Président de Culture-Espaces, délégataire du musée Jacquemart-André, expriment leur reconnaissance aux institutions françaises qui ont rendu possible l'organisation de cette exposition, à M. Pierre Messmer, Chancelier de l'Institut de France, et à Mme Mariani-Ducray, Directrice des Musées de France.

Ils tiennent à remercier M. Dominique Brême, Maître de conférences à l'université de Lille III, et M. Nicolas Sainte Fare Garnot, conservateur du musée Jacquemart-André, qui ont assuré conjointement le commissariat de cette manifestation, ainsi que Mme Sylvie Apollin pour la coordination.

Ils expriment leur gratitude aux directeurs et conservateurs de musées et aux collectionneurs privés qui ont accepté de se priver temporairement des œuvres majeures exposées ici :

ALLEMAGNE

Berlin, Gemäldegalerie

Prof. Dr Jan Kelch, directeur, M. Rainer Michaelis, conservateur.

Karlsruhe, Staatliche Kunsthalle

Prof. Klaus Schrenk, directeur, M. Dietmar Lüdke, conservateur.

ÉTATS-UNIS

Los Angeles, The J.Paul Getty Museum

M. John Walsh, directeur, M. Scott Schaeffer, conservateur.

Milwaukee, Patrick and Béatrice Haggerty Museum of Art, Marquette University

M. Curtis L.Carter, directeur.

Norfolk, The Chrysler Museum

Dr William J.Hennesey, directeur, Mme Catherine Jordan Wass.

Washington, The National Gallery of Art

M. Earl A.Powell III, directeur,
M. Philip Conisbee, conservateur en chef de la peinture européenne.

FRANCE

Arras, Musée des Beaux-Arts

Mme H. Portiglia, conservateur en chef, Mme E. Delapierre, conservateur.

Château-Thierry, Centre hospitalier

M. D. Jourdain, maire de Château-Thierry,
M. J.-P. Mazur, directeur du Centre hospitalier,
M. P.-Y. Corbel, conservateur régional des Monuments Historiques de Picardie.

Grenoble, Musée des Beaux-Arts • M. G. Tossato, directeur.

Orléans, Musée des Beaux-Arts • Mme A. Notter, conservateur en chef.

Paris, École nationale supérieure des Beaux-Arts

M. H.-C. Cousseau, directeur, Mme A. Jacques, conservateur en chef,
Mme E. Brugerolles, conservateur, Mme S. Chavanne, restauratrice.

Paris, Collection Frits Lugt, Institut Néerlandais

Mme M. van Berge-Gerbaud, directeur, Mme M.-L. van der Pol, responsable des prêts.

REMERCIEMENTS

Paris, Musée Carnavalet
M. J.-M. Leri, directeur, M. C. Leribault, conservateur.
Paris, Musée de la Comédie Française • M. J. Huthwohl, conservateur.
Paris, Musée du Louvre
M. H. Loyrette, président, M. J.-P. Cuzin, conservateur général,
M. V. Pomarède, conservateur en chef en charge du département des peintures,
Mme M.-C. Sahut, conservateur en chef, M. S. Laveissière, conservateur en chef,
M. S. Loire, conservateur.
Paris, Musée du Petit-Palais • M. G. Chazal, directeur.
Paris, Séminaire de Saint-Sulpice
Père B. Pitaud, supérieur provincial, et Père J.-P. Dugué, supérieur.
Quimper, Musée des Beaux-Arts • M. A. Cariou, conservateur en chef.
Strasbourg, Musée des Beaux-Arts
M. F. Hergott, directeur des Musées de la ville, M. D. Jacquot, conservateur.
Versailles, Musée national du château de Versailles et de Trianon
M. P. Arizzoli-Clémentel,
directeur général de l'établissement public du Musée et du Domaine,
Mme C. Constans, conservateur en chef.

GRANDE-BRETAGNE
Londres, The Courtauld Institute et ses membres.

PORTUGAL
Lisbonne, Fondation Calouste Gulbenkian
M. J. Castel-Branco Pereira, directeur, Mme L. Sampaio, assistante de conservation.

Ils expriment leur particulière reconnaissance à Mme la marquise de Lastic et à son fils Anne-François, sans la généreuse contribution desquels la présente exposition n'aurait pu avoir lieu, en hommage au regretté M. Georges de Lastic et à ses travaux sur Largillierre.
Ainsi qu'à tous les prêteurs qui ont préféré garder l'anonymat.
Ils souhaitent enfin remercier très chaleureusement Franky et Anne Mulliez pour leur généreux soutien lors de la restauration des tableaux du Séminaire de Saint-Sulpice et du déplacement du tableau de Château-Thierry.
Leur reconnaissance va enfin à tous ceux qui, de près ou de loin, ont apporté leur concours à la réalisation de cette exposition, Mmes, Mlles et MM. :
J. Baillio, V. Bar, C. Bernard, P. Boissin, G. Bouchayer, E. Brême, A. Collange, J.-P. Courtois, P. Dubois, H. Duchemin, P. Étienne, J. Foucart, J. Hedley, N. Joly, G. de La Tour d'Auvergne, G. Le Baube, E. de Maintenant, N. Mandel, C. Mauduit, R. Millet, P. Peyrolle, J.-L. Remilleux, P. Rosenberg, E. Tassel, E. Turquin, H. Wine, P. Zuber.
La mise en place de l'exposition a bénéficié de l'appui de Mmes C. Bled, H. Couot, G. Lemaire, D. Pastellas, D. Pereire, F. Tison, et M. C.-H. Diriart, et de toute l'équipe du musée.

PRÉFACE

En 1914, le critique d'art Georges Lafenestre déplorait, dans un article de la *Gazette des Beaux-Arts* sur « la peinture au Musée Jacquemart-André », qu'on ne pût y admirer aucune œuvre de l'un des plus grands maîtres français du XVIIIe siècle, Nicolas de Largillierre. Deux ans après le décès de Nélie et le legs à l'Institut de France de son musée si riche en chefs-d'œuvre, il paraissait justifié de déplorer cette lacune dans les colonnes de la revue d'art dont Édouard André avait été l'un des directeurs, alors que les noms des plus grands peintres paraissaient sur les cartels des œuvres accrochées dans l'hôtel du boulevard Haussmann : De Troy, Coypel, Nattier, Chardin, Boucher, Fragonard, Greuze, Drouais, Vigée-Lebrun… et qu'à en croire la tradition reçue, Nélie Jacquemart avait privilégié, en raison de sa sensibilité particulière de portraitiste, les acquisitions de peintures où la figure humaine était mise en scène par les plus grands maîtres de l'art européen.

L'absence était d'autant plus remarquable qu'Édouard André lui-même avait manifesté un goût particulier pour le XVIIIe siècle, le goût de son temps pour les tableaux, les sculptures, le mobilier et les objets d'art qui permettaient de recréer le décor d'une civilisation disparue qui avait brillé en France d'un si grand éclat. Après avoir connu dans les dernières années du XVIIIe et la première moitié du XIXe siècle une défaveur liée à la condamnation néo-classique du « rococo », elle revenait en force, grâce notamment aux frères Goncourt, dans la culture de la haute société.

Or, il se trouve qu'au cours de la révision toujours nécessaire des attributions incertaines le musée s'est trouvé soudain en possession d'un Largillierre, lorsque le regretté Georges de Lastic a pu attribuer au maître de façon certaine un portrait d'homme, que l'on connaissait traditionnellement comme une œuvre de Tocqué. L'observation relève, certes, de l'anecdote mais elle justifie, s'il était nécessaire, l'organisation d'une exposition Largillierre dans les salons du musée d'Édouard et de Nélie.

La longue carrière du peintre constitue naturellement une liaison assez exceptionnelle entre deux siècles puisqu'il est né au milieu du XVIIe et mort au milieu du XVIIIe siècle. Elle permet d'appréhender dans la longue durée l'évolution du goût, plus lente que nous ne l'imaginons souvent. Cette leçon donnée par

Largillierre sera d'autant mieux reçue dans l'hôtel du boulevard Haussmann que l'on envisage de remodeler les ensembles décoratifs de ses salles afin de les rendre plus cohérents, depuis le second XVIIe siècle jusqu'au second XVIIIe siècle, à l'occasion de la restauration des meubles et des objets d'art entreprise grâce à quelques généreux mécènes.

Il est grand temps de consacrer une nouvelle exposition au peintre de la *Belle Strasbourgeoise*, car la dernière, organisée à Paris par Camille Gronkowski au musée du Petit Palais, remonte à 1928, et la plus récente fut montrée, mais outre-Atlantique seulement, en 1981. Celle-ci bénéficie de la science de Dominique Brême, spécialiste incontesté de Largillierre qui a su mener jusqu'à son achèvement le catalogue raisonné de l'œuvre très abondant du peintre. Rappelons que l'entreprise avait été engagée, il y a trente ans, par Georges de Lastic, disparu en 1988, qui y avait consacré tous ses efforts, et à la mémoire duquel cette exposition est dédiée. On découvrira sur nos cimaises quelques tableaux de grande qualité qu'il avait su découvrir et acquérir, et dont nous devons le prêt à la fidèle amitié de sa veuve et de son fils.

L'exceptionnelle contribution des musées et collections françaises et étrangères, américaines, allemandes, britanniques et portugaise, a permis de donner à cette rétrospective un éclat et une ampleur que méritait le génie du peintre : une cinquantaine de toiles, dont plusieurs jamais exposées, ainsi qu'une quinzaine de dessins. L'œuvre du grand portraitiste y apparaît sous les aspects attendus ou surprenants de son génie, avec des natures mortes, certes, mais aussi de très rares sujets d'histoire, récemment révélés. Les deux introductions qui suivent sont dues à Nicolas Sainte Fare Garnot et à Dominique Brême, et c'est ce dernier qui a rédigé les notices du catalogue qui apportent une information nouvelle et un éclairage très original sur les œuvres exposées.

Jean-Pierre Babelon
Membre de l'Institut
Président de la Fondation Jacquemart-André

NICOLAS SAINTE FARE GARNOT

Largillierre et ses complices dans l'hôtel André

Issu d'une famille de banquiers protestants, proche depuis le début du siècle des Bonaparte, Édouard André (1831-1894) dut être initié assez tôt à la peinture comme on l'était alors dans toutes les bonnes familles. On ne sait malheureusement rien de cette première formation dans laquelle il se peut que le baron Pourtales, l'un de ses parents, ait joué un rôle, si ce n'est l'attirance qu'il manifesta sa vie durant pour le genre du portrait et la singulière connivence qu'il eut avec les frères Winterhalter, peintres de la famille impériale qui furent également ceux des André. Jeune homme bien né, participant de bonne heure aux fastes de la vie parisienne, il manifeste donc à l'égard des valeurs établies ce qu'il faut de respectueuse condescendance. On doit cependant noter, dans cet itinéraire où tout est dit avant d'être joué, un premier faux pas qui ne manque pas d'étonner. Édouard André se pique probablement d'être à l'avant-garde, et lorsqu'il achète des toiles pour décorer son premier appartement, ce n'est pas Ingres ou les tenants de son école qu'il y accroche, mais des artistes furieusement cocardiers comme Meissonnier, pire encore, quelques représentants de l'école de Barbizon, comme Diaz ou Millet. On pardonne aisément à la jeunesse ces écarts pourvu qu'ils lui servent de leçon ; mais dans le cas qui nous occupe, on retire surtout l'impression qu'il existe un vrai sentiment de curiosité chez Édouard André et l'envie de constituer, dès cette époque, une véritable collection.

La vie sociale a cependant ses impératifs, et pendant une dizaine d'années le jeune homme se consacre aux fonctions qu'il occupe, non dans la banque, mais dans l'armée. Cet autre écart s'explique par un drame familial : deux ans après sa naissance, sa mère meurt d'une septicémie à la suite d'une fausse-couche et son père se remarie assez vite avec la fille d'un maréchal d'Empire. Heureusement, les liens entre l'enfant et sa belle-mère semblent avoir été assez étroits, et ce sont peut-être les souvenirs de la légende impériale qu'elle n'a pas manqué d'évoquer qui déterminent l'adolescent à embrasser la carrière des armes. Chose étonnante, son père se laisse convaincre, à la réserve toutefois que l'héritier ne risque pas sa vie sur le théâtre des opérations militaires et qu'il reste un officier d'ordonnance, proche de l'empereur et de sa cour.

Jeune Parisien, brillant et mondain, Édouard André participe aux fastes de la fête impériale, dont il est l'un des acteurs. C'est la raison pour laquelle il décide en 1868 la construction d'un hôtel particulier adossé à l'un de ces boulevards, l'actuel boulevard Haussmann, dont le préfet de la Seine a voulu doter la capitale dans une vision d'urbanisme où la salubrité, la sécurité et la commodité réunies devront concourir à la modernisation de la ville. Ce haut lieu de la convivialité sociale, palais entièrement dévolu à l'art de la réception, n'est pas encore devenu conservatoire des arts qu'il sera plus tard.

Dans l'immédiat, Édouard André fréquente tout aussi bien le Jockey-Club, dont il est l'un des membres éminents, que l'hôtel Drouot, ce haut lieu de l'enchère publique où les bonnes comme les mauvaises fortunes peuvent se faire ou se défaire. Un amateur ne peut que s'y risquer au vu de tous et s'y faire remarquer, par la pertinence de son goût et de son jugement ou par les risques qu'il prend. C'est là l'une des originalités d'Édouard André, qui nous apparaît plutôt comme un habitué des salles de vente, mais à la manière d'un amateur de sensations fortes et non d'un connaisseur savant et discret. Ce désir de paraître semble plus compter pour lui que la qualité de ses acquisitions. Ainsi, à la vente Morny, l'une des premières auxquelles il participe, il achète deux tableaux, un Drouais mièvre à un prix exorbitant et un Greuze de qualité douteuse. Quelques années plus tard, c'est un Fragonard, mais une scène de galanterie qui sera, hélas, ravalée pour devenir un Doyen. On a donc le double sentiment que la fièvre de Drouot joue chez lui le rôle d'un antidote au spleen du siècle et que ses premiers achats correspondent à ce goût trop commun, celui qu'on nomme aux portes des Tuileries le « Louis XVI-Impératrice ». Ces premiers pas, désolants dans leur banalité, le doivent sûrement à l'inexpérience du jeune homme ; il est d'autant plus intéressant de constater que restant fidèle à ce mode d'acquisition, l'enchère publique, il opère dans les années qui suivent la chute du second Empire quelques très belles acquisitions.

ÉDOUARD ANDRÉ DÉCIDE EN 1868 LA CONSTRUCTION D'UN HÔTEL PARTICULIER... ENTIÈREMENT DÉVOLU À L'ART DE LA RÉCEPTION

On peut se demander avec Florence Gétreau si la disparition d'une société à laquelle il appartenait et les choix de vie qu'il adopte désormais, abandon de toute fonction officielle, temps et moyens entièrement consacrés aux beaux-arts, ne l'ont pas mené à cette transformation et fait du dandy mondain qui se devait de posséder quelques toiles un véritable collectionneur. Les décisions qu'il prend en 1872, élection à la présidence de *l'Union centrale des arts appliqués à l'industrie* et achat du capital de la *Gazette des Beaux-Arts*, qui le placent en effet au centre d'un réseau d'intelligences et le rapprochent du monde des connaisseurs, n'en seraient que les ultimes conséquences. L'hypothèse est vraisemblable mais bien d'autres choix et des événements anodins se rapportant à sa vie personnelle semblent montrer qu'Édouard André est bien autre chose qu'un porteur

Portrait d'homme debout dans un paysage,
école française, XVIIIe siècle, h/t, 1,625 x 1,255 m. Paris, musée Jacquemart-André (MJAP-P 1112).

d'actions aux moyens sans limites, guidé à l'achat par quelque marchand avisé. C'est, on ne le répétera jamais assez, un homme cultivé, de grande intelligence et d'une sensibilité artistique que ses premières expériences ont contribué à développer, et donc tout à fait capable d'entreprendre seul cette aventure de la collection. On pourrait dès lors comprendre cette persistance à n'acheter qu'aux enchères, et plus particulièrement aux dispersions d'ensembles réputés, comme la volonté de prendre la suite de ces Laperlier et autres Delessert, afin d'inscrire après eux son nom au panthéon des collectionneurs. À regarder les peintures qu'il retient, on découvre alors non plus des œuvres de second plan, mais de la première qualité, où les chefs-d'œuvre sont abondants. Qu'un exemple suffise, avec *Les Attributs des Sciences* et *des Arts*, ces deux panneaux de grandes dimensions de Jean-Siméon Chardin, qui sont tout à la fois des natures mortes, des compositions d'histoire, des tableaux décoratifs et surtout de grands morceaux de peinture où le nouvel élu à l'Académie royale de peinture et de sculpture tend à démontrer qu'il supporte toutes les concurrences mais ne connaît aucun rival.

Portrait de Mathilde de Canisy, marquise d'Antin, *Jean-Marc Nattier, 1738, h/t, 1,18 x 0,97 m. Paris, musée Jacquemart-André (MJAP-P 1111).*

L'excellence atteint ici un niveau sans égal ; elle renvoie aussitôt à la délicate question de la série, ou plus exactement à la cohérence de l'ensemble. Si Édouard André retient l'art français du XVIIIe siècle comme sa période de prédilection, quel regard porte-t-il sur un siècle qui s'ouvre avec Watteau et s'achève avec David ? A-t-il pour ambition de constituer un petit Louvre, lui qu'on sollicite lorsque les musées nationaux n'ont plus de crédit ? S'attache-t-il avec plus d'agrément à la peinture d'histoire ou va-t-il privilégier les sujets de genre ? Toutes ces questions sont d'autant plus brûlantes qu'Édouard André épouse en 1881 Nélie Jacquemart, une jeune femme peintre, et que cette dernière continue ses achats après 1894, date de la mort de son mari. En d'autres termes, s'il faut retenir l'initiative d'Édouard André dans la constitution de la collection de peinture française, il serait peut-être plus juste de parler de trois collections, celle d'Édouard André célibataire (1864-1881), puis celle des époux Nélie et Édouard André (1881-1894), enfin celle de Nélie Jacquemart devenue veuve (1894-1912), trois périodes chronologiques correspondant peut-être à trois orientations différentes.

En 1913, dans la *Gazette des Beaux Arts*, Georges Lafenestre souligne l'importance du portrait dans la collection Jacquemart-André, et depuis cette époque, on considère que cet état de fait est dû à l'influence de la jeune femme, qui fut avant son mariage une portraitiste réputée.

Les précieuses factures et quittances d'achat, conservées dans les archives du musée, permettent de tordre le coup à cette contre-vérité. S'il est vrai que les premiers achats furent ceux d'un dilettante, nombreux sont les portraits qui sont achetés par Édouard André et lui seul, et parmi ceux-ci, on compte quelques œuvres de premier plan. Entre 1881 et 1894, on découvre une véritable continuité. De même, après 1894, Nélie Jacquemart est trop intéressée par la conclusion de son musée italien pour se laisser distraire par l'art français. On s'aperçoit tout de même qu'à partir de 1902, date à laquelle elle achète le domaine de Chaalis, et où elle reconduit le programme de l'hôtel du boulevard Haussmann, c'est-à-dire une galerie française au rez-de-chaussée puis une galerie italienne à l'étage, elle utilise d'abord les richesses des réserves parisiennes avant de se lancer dans une nouvelle campagne d'acquisitions.

Il faut donc envisager une autre hypothèse, celle d'un plan très cohérent voulu et décidé par Édouard André dès qu'il dispose de son nouvel hôtel, suivant les espaces et les cimaises disponibles, en d'autres termes et selon les critères de l'Union centrale, d'un plan d'accrochage adapté aux cimaises des grands salons. Dans cette perspective – et le respect d'un choix auquel Nélie Jacquemart se plie bien volontiers – chaque achat est destiné à venir combler un vide, à une place qui lui est « naturellement » destinée. Nous n'expliquons pas autrement l'importance singulière des dessus de porte (Taurel, Chardin, Leriche, Sauvage) et de la même façon, celle des portraits (Largillierre, Nattier, La Tour et Vigée-Lebrun), parce que la collection André ne fut jamais celle d'un conservatoire ou d'un particulier, mais d'abord l'ornement d'une grande maison. Voilà pourquoi la peinture d'histoire et la peinture de genre, sans être totalement absentes, furent néanmoins négligées.

Portrait de la comtesse Skavronskaïa, *Louise-Élisabeth Vigée-Lebrun, vers 1790, h/t, 1,35 x 0,95 m. Paris, musée Jacquemart-André (MJAP-P 578).*

Ces observations faites, on peut revenir sur la collection de peinture française, un ensemble de près d'une centaine de tableaux, si l'on ajoute les pastels aux peintures. À ce compte, et considérant les œuvres aujourd'hui à Chaalis qui furent d'abord parisiennes, on peut affirmer que ces portraits constituent l'une des séries les plus complètes qui soient. Georges Lafenestre n'avait pas tort de la considérer comme telle. Il est plus étonnant qu'un siècle plus tard, alors qu'aucune acquisition n'est venue enrichir la collection, ce qui n'est pas le cas dans le plus grand nombre des musées, ce jugement reste toujours d'actualité... Mais n'est-ce pas là le plus bel hommage que l'on puisse rendre à celui qui en est à l'origine ?

En fonction des volontés testamentaires de Nélie Jacquemart, et notamment celles de respecter les grandes lignes de sa présentation, l'inventaire après décès de l'hôtel parisien en 1912 permet de dresser un panorama en situation. Ainsi trouvait-on trois salons décorés et meublés en œuvres du dix-huitième siècle.

En se conformant à l'ordre de visite des salons de l'hôtel, on pénétrait dans la première antichambre, placée côté cour dans le corps central, où l'on rencontrait un florilège de cet art français du XVIIIe siècle : les deux Chardin, les deux grands Boucher représentant *Le Sommeil* et *La Toilette de Vénus*, les quatre *Vases de fleurs* de Leriche, *Le marquis de Raincourt* attribué à Tocqué et *La comtesse Skavronskaïa* par Élisabeth Vigée-Lebrun, entourés de quantité de petits tableaux aux sujets variés, scène de genre par Lancret, portraits par Ducreux et Drouais, etc. On chercherait en vain la cohérence de cet accrochage en se référant au style ; point de salut ici dans ce capharnaüm où Louis XV et Louis XVI sont mélangés, où, pour parler différemment, rocaille et néo-classicisme semblent prendre plaisir à cohabiter. S'il est évident que l'unité stylistique n'est pas recherchée, il faut regarder du côté des exigences de la maison et de son décor pour comprendre que, dans cet hôtel dont le propriétaire était acquis à la promotion des arts décoratifs, il était cependant nécessaire d'obtenir l'assentiment du visiteur dès la première pièce avec un tir groupé et concentré de peintures, autrement dit ce qu'il attendait. C'est donc au niveau de la qualité, dont chacun observe qu'elle est à son degré le plus élevé, et par l'intermédiaire de grands formats qu'Édouard André persuade son invité des mérites évidents de sa collection et que, dans cette antichambre, pour s'assurer un plein accord, il néglige les mélanges auquel il tenait pourtant : sculptures et tableaux, mobilier, objets…

L'ÉLÉGANCE À LA FRANÇAISE, CE MÉLANGE DE DISTINCTION ET DE SUBTILITÉ, SEMBLE BIEN RENDRE COMPTE D'UN ÂGE D'OR…

Le grand salon, de forme semi-circulaire et placé à la suite de l'antichambre, est probablement la salle la plus cohérente et la mieux ordonnée. L'équilibre entre les différents domaines de la création artistique est sans égal, et surtout l'unité de style respectée : dans une pièce ceinturée d'un ensemble de boiseries « Boffrand », le principal ornement est composé d'une série de bustes en marbre ; mais quatre dessus de porte à la manière de Watteau s'inscrivent dans une même perspective « Régence », que viennent confirmer deux chefs-d'œuvre, présentés sur des chevalets, un *Portrait d'homme* attribué à Largillierre et son vis-à-vis, *La marquise d'Antin*, par Jean-Marc Nattier. L'élégance à la française, ce mélange de distinction et de subtilité où l'harmonie tient la part belle, semble bien rendre compte d'un âge d'or, bien au-dessus des fanfares académiques du siècle de Louis XIV ou de l'érotisme pittoresque du siècle suivant. Il y a ici comme une perfection, tant dans le choix des œuvres que dans leur présentation.

La troisième et dernière salle française de l'hôtel était le cabinet de travail, là où Nélie Jacquemart avait l'habitude de recevoir ses rendez-vous de travail. C'est ainsi que la pièce est désignée dans les papiers de la maison, mais on peut imaginer que ce bureau fut d'abord celui d'Édouard André. Une raison nous y pousse, celle de la présentation d'un ensemble de peintures françaises dont on sait que la plupart furent acquises tôt, c'est-à-dire de son vivant, conjuguée à la présence d'une dizaine de tableaux de l'école anglaise, acquis pour bon nombre d'entre

Portrait d'homme,
Nicolas de Largillierre, vers 1730, h/t, 0,81 x 0,65 m. Paris, musée Jacquemart-André (MJAP-P 2375).

eux par Nélie Jacquemart au cours d'un voyage à Londres effectué quelques mois après la mort de son époux. Ne retenons que la part française : on découvre aux murs de cette pièce l'esquisse peinte du portrait de Joséphine par Prud'hon, la *Tête de vieillard* et surtout *Les Débuts du modèle* par Fragonard, *La Nature morte à la côtelette* de Chardin, une *Escarpolette* de Watteau et la *La Tête de jeune fille* de Greuze, soit un ensemble d'œuvres qui parcourent le dix-huitième siècle. Quel lien établir entre ces peintures, si ce n'est leur très grande qualité et, comme dans la première antichambre, non pas leur analogie de caractère mais celle de leur format, correspondant ici aux objets que l'on s'attend à trouver dans une pièce de caractère intime ?

Il y a donc quelques bonnes raisons de suivre le jugement de Georges Lafenestre tel qu'il apparaît en 1914 dans la *Gazette des Beaux-Arts* et d'approuver cette belle idée d'une galerie de peintures en continu, déroulant, sans failles ni omission, le chemin de la création artistique de Watteau à David.

Un siècle plus tard, l'image a cependant perdu de son lustre et le rude travail des historiens de l'art a mis à mal cet édifice. Rappelons tout d'abord la disparition de Watteau de cette liste. Il ne s'agit pas d'un vol ou d'une destruction accidentelle, mais *L'Escarpolette* est mentionnée dans le testament de Nélie Jacquemart comme une œuvre destinée à l'un de ses exécuteurs. Nous avons eu il y a quelques années la bonne fortune de retrouver ce tableau, qui de toute évidence se rattache en effet à l'école de ce maître... Peut-être Nélie Jacquemart s'est-elle sentie confortée dans cette attitude grâce à des confidences recueillies auprès de ses amis du Louvre. Le grand portrait d'homme acquis en 1887 chez Miallet est alors donné à Largillierre. Il apparaît sous cette attribution dans l'inventaire après décès d'Édouard André (1894), mais en 1912, par la grâce d'un connaisseur, il est rendu à Watteau, attribution d'autant plus téméraire qu'il faut attendre 1974 pour que le musée du Louvre dispose d'un équivalent avec le portrait du pseudo-Jullienne, un authentique tableau du maître !

Portrait de femme,
Nicolas de Largillierre,
vers 1690, h/t, 0,80 x 0,655 m.
Paris, musée Jacquemart-André (MJAP-P 1271).

Depuis, le tableau de la collection Jacquemart-André a encore changé d'auteur : Desportes, en raison du paysage et de la nature morte, et dernièrement Philippe Mercier, un élève de Watteau qui travailla en Angleterre. Dominique Brême n'a pas dit son dernier mot, et le grand peintre auquel il pense pourrait résoudre le problème d'influences et de culture suscité par l'œuvre, auquel l'érudition n'a pas encore su trouver de solution. Nous lui laissons la primeur de cette découverte. Une même dévaluation concerne le *Portrait de Mme de Parabère*, acquis en 1911 par Nélie Jacquemart chez l'antiquaire Wertheimer de Londres et donné par lui au même Largillierre. En fait, l'identification avec l'une des favorites du Régent semble un peu hâtive et l'attribution trop généreuse, une qualification « de l'école de » pouvant tout au plus se soutenir. L'anecdote n'aurait guère d'intérêt si elle ne diminuait sensiblement la qualité d'ensemble des œuvres appartenant à la première moitié du siècle, en même temps que l'ami et rival de Largillierre, le peintre Hyacinthe Rigaud, disparaissait également de nos tablettes. En 1974, Florence Gétreau, analysant la qualité du portrait représentant le chancelier Pontchartrain, jusqu'alors donné à cet artiste, préféra en décerner l'attribution à Levrac-Tournières, l'un de ses élèves, travaillant ici d'après une œuvre aujourd'hui disparue de son maître.

Qu'on se rassure pourtant, l'histoire de l'art opère aussi des révisions qui sont loin d'être des soustractions. Le bilan quelque peu déséquilibré auquel on a fait allusion va bientôt se rétablir et la position du peintre Nicolas de Largillierre connaître un soudain renouveau. En 1983, le regretté Georges de Lastic, alors en charge du catalogue raisonné de ce peintre, ne manque pas de venir revoir les collections du musée Jacquemart-André. Il s'intéresse en particulier à un portrait d'homme acquis en 1905 comme de la main de Tocqué. Devant l'œuvre, on se demande aujourd'hui comment l'évidence a pu échapper aux spécialistes, tant la facture, la gamme de couleurs, l'écriture tonale et chromatique ne peuvent que revenir à ce grand portraitiste. Depuis, Dominique Brême a repris ces travaux académiques et va très prochainement achever la somme engagée par M. de Lastic. Ensemble, nous avions décidé de préparer une exposition monographique dans un musée qui nous semblait correspondre à merveille à l'esprit du maître, au métier si brillant et pictural. À l'occasion de l'une de ses visites, nous nous sommes attardés sur les tableaux du XVIIIe siècle placés en réserve. Un portrait de femme en ovale, attribué à Tournières, s'est retrouvé en un tour de main rendu à Largillierre, d'autant plus intéressant qu'il appartient au début de la carrière du peintre. D'autres mises au point – on pense notamment aux travaux de Christophe Leribault sur Jean-François de Troy – ont rétabli, pour la collection des peintures, l'équilibre d'origine entre œuvres du début et de la fin du XVIIIe siècle. La physionomie de l'ensemble reste donc marquée par un caractère propre, celui du couple André, comme elle offre un reflet complet de l'évolution d'un genre pictural à une époque donnée. Si la recherche a modifié certaines appréciations, c'est toujours dans un sens plus flatteur qui honore le collectionneur.

LA FACTURE, LA GAMME DE COULEURS, L'ÉCRITURE TONALE ET CHROMATIQUE NE PEUVENT QUE REVENIR À CE GRAND PORTRAITISTE...

Nicolas de Largillierre est donc présent par deux fois dans les collections du musée. Cette insistance ne pouvait être que le prélude à une manifestation qui rappelle la place qu'il occupe dans l'histoire de l'école française, à n'en point douter l'une des premières.

DOMINIQUE BRÊME

La vie et l'œuvre de Nicolas de Largillierre

Détruit par un incendie en 1621, le Pont-au-Change avait été reconstruit par Jean Androuet du Cerceau, entre 1639 et 1647 : porté par sept grandes arches, il reliait le Châtelet, sur la rive droite, au Palais de Justice, sur l'île de la Cité. Un tablier de quelque 33 mètres de large portait 106 maisons, alignées de part et d'autre et comprenant, au rez-de-chaussée, boutique et arrière-boutique, surmontées de quatre étages de logements. Avec le Pont-Notre-Dame, jeté quelques pieds en amont, il constituait l'une des deux belles rues commerçantes qui enjambaient la Seine et que prenait plaisir à fréquenter le tout-Paris. Anthoine de Largillierre, marchand chapelier, s'y était établi depuis peu, à l'enseigne du « Mousquetaire ». Il avait épousé, le 13 février 1651, en l'église Saint-Nicolas-des-Champs, Marie Mignon, fille orpheline d'un marchand de vins, qui au début d'octobre 1656[1] lui donna un fils qu'ils prénommèrent Nicolas. Le 10 octobre, l'enfant fut baptisé en l'église voisine de Saint-Barthélemy, là où sa sœur aînée, Marie-Barbe, avait elle-même été présentée le 21 août 1655, et où sa sœur cadette, Marie-Elisabeth, devait être reçue le 28 décembre 1657.

Parlant de Nicolas – dont il devait recevoir, deux ans avant la mort du peintre, les éléments d'une courte mais précieuse biographie –, Antoine-Joseph Dezallier d'Argenville nous apprend, dans son *Abrégé de la vie des plus fameux peintres*, que son père « établi à Anvers, où il faisoit commerce de marchandises de France, y fit venir son fils à l'âge de trois ans. »[2] Il faut évidemment comprendre que toute la famille Largillierre, encore présente à Paris en 1657, prit la route des Flandres peu après. Une circonstance particulière pourrait expliquer ce départ : le 27 février 1658 – deux mois seulement après la naissance de Marie-Élisabeth – une crue historique de la Seine[3] emporta une partie du Pont-au-Change, et il est fort possible en effet qu'Anthoine, atteint dans son activité professionnelle, ait en quelque sorte profité de cette mésaventure pour s'installer en un lieu qu'il savait pouvoir être propice à ses affaires.

LA JEUNESSE À ANVERS

Riche de quelque 67 000 âmes (Paris en compte près de 450 000 à la même époque), Anvers apparaît alors comme l'une des principales places économiques européennes. Immensément riche au XVIe siècle, le grand port brabançon avait dû néanmoins ralentir son activité commerciale à la suite du contrôle par les Provinces-Unies (les Pays-Bas actuels) de l'embouchure de l'Escaut, contrôle effectif dès la trêve de douze ans, en 1609, et confirmé par le traité de Münster en 1648. Plusieurs crises violentes secouèrent la ville au cours du XVIIe siècle, notamment celle de 1661-1663, qui entraîna un taux de mortalité fort élevé et que connurent Anthoine de Largillierre et les siens. À plusieurs reprises, les édiles durent emprunter aux financiers anversois les sommes nécessaires à résorber la dette municipale : 700 000 florins entre 1621 et 1644, 300 000 en 1658... Mais en dépit de ces difficultés, certains secteurs de l'activité économique demeuraient florissants : la taille du diamant par exemple, domaine privilégié de la colonie portugaise établie à Anvers, occupait 164 maîtres tailleurs en 1618, puis 200 en 1674. Véritable spécialité locale, l'industrie textile surtout était prospère, qui employait 35 % de la population active vers 1650 : 7 500 personnes pour le fil et le lin, près de 9 000 pour la soie (satin, taffetas, caffart, armoisin) et le velours, près de 500 pour la laine, autant pour la fabrication de tapis de grande renommée. Le maître chapelier français devait être particulièrement attentif à la qualité de la passementerie – la plus active des spécialités anversoises liées au textile – qui, en 1684, assurait la prospérité de plus d'un millier de patrons. L'artisanat d'art de la cité n'était pas moins réputé, dominé par les maîtres brodeurs, les orfèvres et les fabricants de meubles : les cabinets d'ébène incrustés d'écaille, d'ivoire, de nacre et décorés de tableautins hauts en couleurs avaient consacré la gloire du mobilier anversois, de même que la famille Ruckers celle de clavecins recherchés des amateurs les plus éclairés et les plus exigeants qu'il y eût en Europe.

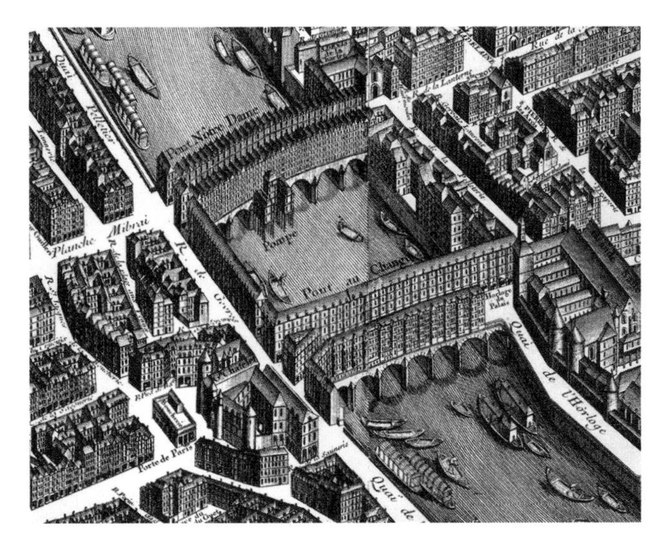

Le Pont-au-Change et le pont Notre-Dame, plan dit de Turgot (détail), Paris, 1739.

Ville humaniste ouverte aux idées nouvelles, Anvers avait vu se développer une imprimerie de première importance et pouvait se prévaloir, au milieu du XVIe siècle, d'être après Paris le plus grand centre de production et de diffusion du livre : tourangeau d'origine, Christophe Plantin y avait dirigé à partir de 1555, à l'enseigne du « Compas d'or », le travail de seize presses (Robert Estienne, à Paris, n'en possédait alors que quatre), qui lui valurent de devenir l'imprimeur attitré du roi Philippe II d'Espagne. Il revint à ses descendants, les Moretus, d'entretenir la brillante renommée de l'établissement au cours des XVIIe et XVIIIe siècles, et lorsque Anthoine de Largillierre s'installa dans la cité scaldienne, deux ou trois dizaines d'imprimeurs en soutenaient avec zèle la réputation de grand centre intellectuel.

Cette ouverture d'esprit, mêlée à l'opportunisme des milieux d'affaires, n'avait sans doute pas peu contribué à métisser la population de la ville : les ressortissants de nombreuses nationalités s'y croisaient incessamment et, en bonne logique, les sensibilités religieuses les plus diverses y étaient représentées. Aussi la ville se trouva-t-elle particulièrement exposée au moment où s'exacerbèrent les tensions qui opposèrent catholiques et protestants, roi d'Espagne et princes néerlandais : ce fut tout d'abord le sac de la cathédrale par les calvinistes iconoclastes (1566), puis la répression sévère menée par le duc d'Albe, qui libéra sur Anvers la « furie espagnole » (1576), enfin la prise de la cité, après un an de siège, par Alexandre Farnèse, gouverneur des Pays-Bas au nom de Sa Majesté Catholique (1585). La partition de ces territoires en Provinces-Unies protestantes et indépendantes, au nord, et Pays-Bas espagnols, au sud, consommée en 1609, avait été ratifiée depuis bien peu de temps, en 1648, lorsque la famille de Largillierre apparut aux portes de la ville.

Peut-être l'installation d'Anthoine fut-elle favorisée par quelque relation nouée à Paris. Il venait en effet de quitter le Pont-au-Change, où étaient établis très officiellement depuis plusieurs siècles les changeurs, qui avaient donné son nom à l'édifice et vers qui affluaient tous les étrangers nouvellement arrivés à Paris, désireux de se munir de bonne monnaie française. Or, la lettre de change était l'un des moyens les plus utilisés, presque une spécialité, par les milieux financiers anversois pour faire circuler leur argent, et il n'est pas douteux que beaucoup de marchands brabançons aient foulé le pavé du pont nouvellement bâti au cœur de la capitale. Il est possible aussi que quelques-uns d'entre eux, soucieux de se vêtir à la française ou de rentrer en Flandre avec quelque bel article de Paris, soient allés jusqu'à remarquer l'enseigne du « Mousquetaire ».

PREMIÈRE VISITE À LONDRES

À peine Nicolas eut-il neuf ans, poursuit Dezallier d'Argenville, « qu'un commerçant qui demeuroit ordinairement à Londres, dit à son père : *Laissez-moi le soin de conduire votre fils en Angleterre ; il verra le pays & apprendra la langue.* Nicolas y alla effectivement, & y resta vingt mois, pendant lesquels son unique soin fut de dessiner. »[4] Nous ignorons tout de l'identité de ce « commerçant » et du détail de ce premier séjour du jeune Largillierre à Londres, qui, si l'on s'en tient rigoureusement aux indications du biographe, se serait étendu de la fin de l'année 1665 au début de l'été 1667. Après l'exécution du roi Charles Ier, en 1649, et la parenthèse de la république parlementaire, dirigée d'une main puissante par Oliver Cromwell, le fils du feu roi, Charles II, avait été rappelé et la monarchie restaurée en 1660. Il pouvait donc sembler à Anthoine de Largillierre – qui venait d'avoir une troisième fille, Anne, le 1er juin 1663 – que la situation politique fût assez stabilisée en Angleterre pour qu'il laissât son fils quitter Anvers et gagner Londres en 1665. Et cependant, cette même année, une terrible épidémie de peste s'abattit sur la capitale anglaise et emporta près de 70 000 de ses habitants (qui étaient environ 500 000). L'année 1666, quant à elle, fut marquée par un gigantesque incendie qui, dans la nuit du 2 au 3 septembre, ravagea le cœur de la Cité, dévorant 130 000 maisons et 87 églises paroissiales... Il est étrange que Largillierre, dans ses vieux jours, n'ait soufflé mot à son biographe de ces deux fléaux qui n'avaient pu manquer de toucher l'enfant dans son périple, soit que l'épidémie ou l'incendie eût un moment compromis son voyage, retardé son départ ou précipité son retour, soit qu'il eût été le témoin de l'un, de l'autre ou de ces deux événements. Mais la chronologie avancée par Dezallier, qui se veut précise, oblige à supposer que le jeune garçon eut, à tout le moins, de forts échos de ces deux catastrophes.

Pour jeune qu'il fût, Nicolas dessinait donc beaucoup. Mais que put-il voir à Londres qui fût de nature à retenir son attention ? Tout dépend bien sûr du milieu qu'il fréquentait, sans doute aisé, et de ce qui pouvait lui tomber sous les yeux. Rien ne dit en effet qu'il dessinait d'après les maîtres : le paysage, les bâtiments, les animaux de la campagne, les fontaines, le visage de ses proches, quantité de choses pouvaient solliciter l'intérêt du futur grand artiste qui, pour être précoce, devait néanmoins s'attarder sur des motifs propres à piquer la curiosité d'un enfant âgé d'une dizaine d'années seulement. Et quand bien même eût-il vu de grands et beaux tableaux, quels pouvaient-ils bien être ? Les collections royales lui étaient-elles accessibles ? Cela est peu probable. Et qu'en restait-il après les épisodes douloureux de la révolution ? Constituées dans les années 1620, les collections de Charles Ier – dominées par les toiles vénitiennes de Titien, Giorgione, Véronèse, Tintoret et Bassano – avaient été dispersées par Cromwell entre les créanciers du monarque, le roi d'Espagne, l'archiduc Léopold-Guillaume d'Autriche, Mazarin et le banquier Jabach. Au moment de la restauration, Charles II se mit en peine d'en retrouver quelques-unes, mais non les plus importantes. La célèbre collection de Thomas Howard, deuxième comte d'Arundel, avait subi un sort à peu près identique et avait été en grande partie vendue par son fils à partir de 1654 : outre une trentaine d'œuvres de Hans Holbein le Jeune, on pouvait y admirer, comme dans celle du roi, de belles toiles des plus grands maîtres de la Venise renaissante. Quant à la peinture anglaise, elle avait déjà fait du portrait – sous l'influence lointaine mais décisive de Holbein, mort à Londres en 1543 – sa véritable spécialité, qu'Antoon Van Dyck (1599-1641) avait achevé d'élever au rang d'art national au siècle suivant. Après avoir vécu dans la capitale anglaise durant les dix dernières années de sa vie et portraituré le ban et l'arrière-ban de la *gentry*, le peintre anversois s'était éteint dans son hôtel de Blackfriars.

Porté sur l'harmonie chromatique des maîtres vénitiens et flamands, l'amateurisme anglais – et particulièrement Charles Ier – avait logiquement trouvé en Pierre-Paul Rubens (1577-1640) une sorte d'idéal esthétique. Figure tutélaire de la peinture anversoise, Rubens était venu à Londres en 1629 à bord d'un bateau au nom très évocateur, *The Adventure*, et avait fortement impressionné l'aristocratie, non seulement par ses talents d'artiste, bien sûr, mais aussi par ceux d'habile courtisan et de diplomate accompli, au service de Philippe IV d'Espagne. Mêlant avec

Autoportrait,
Nicolas de Largillierre,
1707, h/t, 0,93 x 0,735 m.
France, collection particulière.

zèle ces trois fonctions, il avait offert au roi d'Angleterre une grande composition allégorique représentant *Minerve protégeant la Paix* (1629, Londres, National Gallery), avait brossé plusieurs portraits du comte d'Arundel déjà cité, celui de la famille Gerbier, quelques paysages, des copies d'après les Titien du roi, et s'en était retourné à Anvers en mars 1630, diplômé de Cambridge et anobli par un Charles Ier devenu son plus fervent admirateur. Les relations s'étaient d'ailleurs prolongées avec la commande très prestigieuse d'une imposante décoration, réalisée entre 1630 et 1634, pour le plafond du Banqueting House de Whitehall (*in situ*).

Entre les élégants portraits de Van Dyck et les compositions puissantes de Rubens, la gloire de la peinture anversoise avait donc précédé le jeune Largillierre des bords de l'Escaut à ceux de la Tamise. Aussi, son goût si marqué pour le dessin le ramena-t-il sans doute avec quelque enthousiasme vers le grand port flamand.

VERS LE MÉTIER DE PEINTRE

Il fallut apparemment quelques mois encore pour qu'Anthoine de Largillierre se laissât fléchir par les aspirations de Nicolas à manier le pinceau : « son pere qui le vouloit faire étudier, n'en fut détourné que par ses amis, qui le porterent à seconder le penchant naturel que son fils avoit pour la peinture. »[5] Et le 18 septembre 1668, comme en attestent les registres de la guilde de Saint-Luc d'Anvers[6], Nicolas entra, à l'âge de douze ans, en apprentissage chez le peintre Antoon Goubau (1616-1698), peintre estimable mais sans esprit, spécialiste de bambochades italianisantes représentant foires et marchés. Les dons de l'apprenti lui permirent de collaborer très vite aux œuvres de son maître, dont il « peignoit les fruits, les fleurs, les poissons, & généralement tout ce qui se vend dans les places publiques. »[7] Parmi les rares œuvres de Goubau que nous avons pu examiner se trouve un *Marché italien*, conservé au musée de Brou, à Bourg-en-Bresse[8], où nous pensons reconnaître un effet de cette collaboration entre le maître et son élève : au pied de la colonne qui se dresse au centre du tableau se voient en effet quelques fruits et légumes dont la facture, libre et nerveuse, n'est pas sans annoncer ce que l'on sait des futures natures mortes de notre artiste. Le traitement du paysage et des personnages alentour apparaît sensiblement plus contraint, à telle enseigne que l'anecdote suivante, que nous rapporte à nouveau Dezallier d'Argenville, a quelque chance d'être authentique : « Largillierre avoit peint secrettement, sur un papier huilé, une sainte famille qui ne put échapper aux yeux de son maître. Il lui demanda quel dessein ou quelle estampe lui en avoit fourni l'idée : *Je n'ai rien vû*, répondit l'élève, *je n'ai consulté que mon génie.* Goubeau, qui en fut extrêmement surpris, le retint encore pendant dix-huit mois, & lui dit ensuite : *Vous en sçavez assez pour travailler par vous-même ; allez & volez de vos propres ailes.* Nicolas sortit ainsi à l'âge de dix-huit ans de chez son maître. »[9] Le 14 septembre 1674, Largillierre fut en effet reçu maître au sein de la guilde de Saint-Luc d'Anvers.[10]

Créée au XIVe siècle, cette prestigieuse institution était dominée par l'influence persistante de Rubens, qui y était devenu maître en 1598. Ses deux meilleurs disciples, Van Dyck – déjà cité – et Jacob Jordaens (1593-1678), l'avaient intégrée respectivement en 1618 et 1615. Nombreux étaient les membres de la guilde qui, tard dans le siècle, soutenaient l'esthétique baroque du grand Rubens, depuis ses proches collaborateurs, les Cornelis Schut (1597-1655), Erasmus Quellinus (1607-1678) et Theodoor Van Thulden (1606-1669), jusqu'à ceux qui, sous l'influence de Van Dyck, en avaient adouci la rhétorique : les Jan Boeckhorst (1605-1668), Thomas Willeboirts (1614-1654) ou Pieter Thyssens (1624-1677). Tempérée au milieu du siècle par l'intérêt grandissant des amateurs flamands pour le classicisme français[11], la fougue rubénienne connut une sensible inflexion sous les pinceaux d'Abraham Van Diepenbeek (1596-1675), Theodoor Boeyermans (1620-1678), Jan Erasmus Quellinus (1634-1715) et Godfried Maes (1649-1700). L'art du portrait, dont Nicolas devait faire un jour sa spécialité, avait trouvé en Cornelis de Vos (1585-1651) un interprète plus brillant que véritablement original, et ses œuvres, trop marquées peut-être par les modèles un peu sages du siècle précédent, ne pouvaient trouver d'écho auprès du jeune artiste.

À Anvers, celui-ci pouvait également admirer les beaux paysages de Lucas Van Uden (1595-1672) et de Jan Siberechts (1627-1703), les marines de Bonaventure Peeters (1614-1652), les ports calmes et théâtraux de Hendrick Van Minderhout (1632-1696), les intérieurs d'églises de Hendrick Van Steenwyck (1580-1649) et de Pieter Neeffs (vers 1578 - vers 1660). Issues de la veine populaire d'Adriaen Brouwer (vers 1605-1638), les scènes de genre de David II Teniers (1610-1690), Joos Van Craesbeck (1605-1654) et David III Ryckaert (1612-1661) composaient un monde bruissant de toutes les folies des hommes : gueux vidant force bouteilles, paysan lutinant une accorte servante, alchimiste forçant la matière contre les lois de nature, violoneux grinçant de tout son être. Autant de débordements anecdotiques que Gonzales Coques (1614-1684) venait compenser par ses paisibles petits portraits de familles, où se trouvait souvent quelque jeune fille pour toucher avec grâce de la guitare ou de l'épinette. De tout cela non plus, le jeune Largillierre ne fit guère son profit.

Son goût allait alors, semble-t-il, à la nature morte, comme en témoignent d'ailleurs ses quatre premiers tableaux datés connus, exécutés en 1677 et 1678[12] (voir les n° 40 et 41 du présent catalogue). Le jeune artiste, nous l'avons vu, avait enrichi les œuvres de son maître de petits amoncellements de fruits et de légumes, et sans doute avait-il fini par embrasser le genre. Il ne pouvait toutefois devoir la connaissance qu'il en avait à Goubau : les quatre tableaux que nous venons de citer, exécutés peu après que le jeune peintre eut quitté son maître (1674), sont en effet d'une telle maîtrise qu'ils supposent une formation spécialisée ou, à tout le moins, une application exclusive durant plusieurs années, peut-être en autodidacte, aux subtilités du genre. Anvers ne manquait pas alors de grands peintres de nature morte dont Nicolas pouvait tirer bien des enseignements, soit à leur contact direct, soit à l'examen des œuvres dont ils inondaient le marché. L'émulation de Rubens avait déjà suscité de belles vocations : Frans Snyders (1579-1657), Paul de Vos (1595-1678) et Jan Fyt (1611-1661) avaient appliqué à l'évocation de la « vie silencieuse » les formats imposants et les rythmes puissants du grand peintre d'histoire. Dans une veine plus intimiste, les Osias Beert (vers 1580-1624), Jacob Van Hulsdonck (1582-1647), Clara Peeters (1594-après 1657) et

Jacob Van Es (1596-1666) avaient poussé très loin le mimétisme, resserré les compositions et longuement interrogé l'âme d'objets inanimés : victuailles, coupes de fruits, vases de fleurs, pièces d'orfèvrerie ou coquillages s'étaient trouvés sublimés en de petits tableaux très recherchés des amateurs. Daniel Seghers (1590-1661) insuffla un élan baroque nouveau à ce genre, et ses couronnes de fleurs, formant médaillons autour de sujets historiques brossés par les collaborateurs de Rubens, lui avaient assuré une renommée considérable. Mais la jeune génération des peintres anversois devait attirer davantage Largillierre. Sous l'impulsion de Jan Davidsz. de Heem (1606-1684), originaire d'Utrecht et installé dans la cité scaldienne dès 1636, émergea vers le milieu du siècle une nouvelle esthétique de la nature morte, très attentive au développement du genre dans les Pays-Bas du nord : quoique n'excluant pas la profusion, les peintres se laissèrent gagner par un dessin plus aigu, par une harmonie plus froide et un respect beaucoup plus grand du ton local. Les Jan Filips Van Thielen (1618-1667) et Nicolas Van Veerendael (1640-1690) suivirent ainsi la voie ouverte par de Heem, et il n'est pas douteux que Largillierre ait ici puisé une grande part de son inspiration.

NOUVEAU SÉJOUR EN ANGLETERRE

La question se pose bien sûr de savoir à quel moment Nicolas aurait pu éventuellement suivre l'enseignement d'un véritable peintre de nature morte. Officiellement associé à Goubau entre la fin de l'année 1668 et 1674, il ne put suivre l'enseignement de Jan Davidsz. de Heem qui, en outre, avait fait un long séjour à Utrecht, sa ville natale, entre 1669 et 1672. De plus, Dezallier d'Argenville indique expressément que le jeune artiste, trois mois après avoir quitté l'atelier de Goubau, « passa en Angleterre, où pendant quatre ans il donna des preuves de son savoir. »[13] Il semble donc impossible que Largillierre ait eu le loisir de suivre quelque formation plus spécialisée. Et s'il en avait eu le temps, pourquoi n'en aurait-il pas fait état auprès de son biographe ?

Le peintre serait donc arrivé en Angleterre au tout début de l'année 1675. Nous ignorons tout de la raison précise de ce nouveau voyage. Largillierre avait-il noué dès 1665-1667, et malgré son jeune âge, des contacts suffisants pour se sentir à Londres un peu comme chez lui ? Avait-il été sollicité par quelque mécène ayant remarqué son talent précoce ? Tentait-il tout simplement l'aventure sur le bon souvenir qu'il avait gardé de son premier séjour ? Répondait-il, comme le prétendit en 1718-1721 Arnold Houbraken[14], à une sollicitation de Pieter Van der Meulen (né en 1638), peintre bruxellois établi à Londres dès 1670, frère du fameux chroniqueur des batailles de Louis XIV ? Toujours est-il qu'il embarqua à nouveau et, si l'on en croit l'historien et graveur anglais George Vertue (1684-1756), ce fut en compagnie du paysagiste anversois Pieter Rysbraeck (1655-1729)[15]. Cette assertion a tout pour nous séduire : Rysbraeck venait en effet d'être reçu, la même année que Largillierre, parmi les maîtres de la guilde des peintres d'Anvers, et sa présence semble attestée à Londres dès 1675. Il devait ensuite venir à Paris, peu après le propre retour de Nicolas en France[16]. Il est cependant difficile de préciser la nature des relations qui unissaient peut-être l'élève de

Goubau à ce disciple méconnu de Philips-Augustyn Immenraet (1627-1679).

La colonie des artistes flamands, réputés pour la qualité de leur métier, était alors assez considérable à Londres. Outre Pieter Van der Meulen, évoqué plus haut, on trouvait encore les médaillers Jan, Joseph et Philippe Roëttiers, originaires d'Anvers où leur père, Philippe, les avait précédés dans cet art. Jan (1631-1703) était arrivé en 1661 et fit une prestigieuse carrière à la Monnaie de Londres; Joseph (1635-1703) avait rejoint son aîné en 1662 et, en 1679, s'installa à Paris – où Largillierre fit son portrait vers 1695-1699 – pour y acquérir une immense réputation au service de Louis XIV ; Philippe (1640-1718) – dont Largillierre devait également faire le portrait dans les années 1680 –, après avoir rejoint ses deux frères, était rentré à Anvers en 1673 à la demande du roi d'Espagne pour devenir graveur général des Monnaies et Médailles des Pays-Bas. Il est très vraisemblable, nous le verrons, que cette diaspora flamande ait joué plus tard quelque rôle dans l'installation de Largillierre à Paris.

À ce qu'il semble, le jeune artiste anversois se fit rapidement remarquer à Londres : « Pierre Lely, premier peintre de Charles II Roi d'Angleterre, lui fit accueil, & le fit employer, par le Surintendant des bâtimens du Roi, à raccommoder plusieurs tableaux de grands maîtres, & à en aggrandir d'autres pour placer dans les appartemens du château de Windsor. Le Roi en parut très-content, surtout d'un Amour endormi placé sur une cheminée, dont le jeune homme avoit entiérement repeint les jambes endommagées par le tems. Ce Prince demanda à voir celui qui les avoit rétablies avec tant d'art ; on lui amena Largilliere, &, le voyant si jeune, il dit en François à quelques Milords qui l'accompagnoient, ne sçachant pas que le peintre l'entendît : *Regardez cet enfant, on ne le croiroit jamais, si on ne le voyoit; car ce n'est qu'un enfant.* Le Roi lui fit l'honneur ensuite de lui demander si on pouvoit voir des ouvrages entiérement de sa main : le peintre, au retour de Sa Majesté à Londres, lui en présenta trois, qui mériterent ses suffrages & ceux de toute la Cour. »[17]

Portrait d'homme inconnu, *Nicolas de Largillierre, vers 1685, h/t, 0,80 x 0,65 m. États-Unis, collection particulière.*

Plusieurs documents viennent en effet confirmer le contenu général de l'anecdote rapportée par Dezallier d'Argenville. La relation de Nicolas avec le premier peintre, sir Peter Lely, ne peut faire de doute : d'origine néerlandaise, Pieter Van der Faes (1618-1680), formé à Haarlem, était arrivé en Angleterre en 1643 et, après l'exécution de Charles Ier, durant la période très troublée de la république soutenue par Cromwell, avait indifféremment travaillé pour les monarchistes et les parlementaires qui, tous, le considéraient comme le plus grand de leurs artistes. La restauration l'avait élevé au rang de premier peintre du roi Charles II et, naturalisé en 1662, il régnait en maître sur la vie artistique de la cour d'Angleterre. Les registres du *Privy Council* du château de Windsor pour les années 1676-1677 gardent en effet la trace des tâches confiées à Largillierre par Lely : « Nicholas Largillier et Phillip Dolesam » – dont on ne sait rien – reçurent 19 livres « pour l'agrandissement d'une peinture et la mise en place de plusieurs tableaux au-dessus des portes et cheminées dans les appartements du roi et de la reine et pour de la soie, de la toile, de l'huile et des couleurs… »[18] Quant à l'Amour dont Nicolas aurait entièrement repeint les jambes, il s'agit du *Cupidon endormi* de Giovanni Battista Caracciolo, peint vers 1610-1615 et aujourd'hui conservé à Hampton Court parmi les prestigieuses collections de Sa Majesté la reine Elisabeth. On pourra légitimement s'étonner de la coïncidence parfaite des déclarations de Dezallier d'Argenville dans sa courte biographie et des éléments dont on dispose ici pour les confirmer, preuve s'il en était besoin qu'il y a lieu de leur accorder quelque crédit[19].

Un autre artiste semble avoir également beaucoup compté pour Nicolas lors de son séjour à Londres. Originaire de Lecce, en Italie du sud, Antonio Verrio (1639-1707) avait travaillé à Naples, à Toulouse, puis à Paris, où il avait été reçu membre de l'Académie royale de peinture et de sculpture en 1671. Dès l'année suivante, il s'était établi en Angleterre et, en 1684, devait occuper après Lely la charge de premier peintre du roi. Verrio fut occupé jusqu'en 1688 par la décoration des appartements royaux du château de Windsor, grands ensembles allégoriques dont il ne reste aujourd'hui plus rien. Une nouvelle révolution devait suspendre son activité : à la mort de Charles II, en 1685, la couronne échut à son frère, Jacques II, fervent catholique qui mena une politique répressive à l'égard des protestants. Ceux-ci patientèrent jusqu'à ce que le roi eût avec sa seconde épouse, la reine Marie de Modène, un héritier mâle qui pût légitimement lui succéder, ce qui advint en 1688. Les partisans de l'Église réformée firent alors appel à Guillaume III d'Orange-Nassau, stathouder de Hollande, petit-fils de Charles Ier par sa mère et cousin de Jacques II, dont il était en outre le gendre. Le prince protestant répondit à cet appel et débarqua en Angleterre le 5 novembre 1688. Jacques II prit le parti de fuir vers la France et, en janvier 1689, à l'invitation de Louis XIV, s'installa avec la reine et le jeune prince de Galles au château de Saint-Germain-en-Laye. Il y vécut jusqu'à sa mort, en 1701, tandis que son fils prenait le nom très théorique et assez encombrant de Jacques III d'Angleterre. Après que plusieurs tentatives de débarquements outre-Manche – soutenues par le roi de France – eurent échoué et que la maison d'Orange eut exigé l'éloignement de celui que les Hanovriens appelleraient un jour, par dérision, le « Vieux Prétendant », Jacques III dut se réfugier en Lorraine en 1713, puis en Italie en 1717, non sans avoir lancé d'ultimes et vaines tentatives de reconquête de son royaume.

Éloigné des chantiers royaux à l'avènement de Guillaume III, Verrio s'en fut travailler à Burghley House et à Chatsworth, avant d'être rappelé en 1699 à Hampton Court, où il fit à nouveau, pendant cinq années, montre de ses talents de grand décorateur. Le style véhément du maître italien, servant une inspiration baroque par un dessin un peu lourd et une facture besogneuse (voir le décor de Burghley House), n'était pas pour séduire Largillierre. Il semble cependant que le jeune artiste ait collaboré aux travaux de Verrio. Comme en France à la même époque (le grand appartement du roi, à Versailles, est alors en cours de réalisation sous la direction de Charles Le Brun), la peinture de grand décor demandait l'in-

Nicolas-Jean-Baptiste Hallé en saint Jean-Baptiste, *Nicolas de Largillierre, 1696, h/t, 0,81 x 0,65 m. Château de Parentignat (Puy-de-Dôme), collection du marquis de Lastic.*

tervention de peintres à spécialité, et le génie précoce dont faisait preuve Nicolas dans le genre de la nature morte le désignait assez naturellement pour orner les salles d'apparat du château de Windsor de guirlandes de fleurs, de fruits et autres objets requis par le répertoire allégorique du lieu (Dezallier d'Argenville parle de « tableaux au-dessus des portes »). Rappelons que les quatre natures mortes dont nous avons déjà parlé ont été exécutées en 1677 et 1678, soit pendant le séjour de Largillierre en Angleterre.

L'assurance de la présence du peintre dans l'entourage de Verrio en 1679 est quasi certaine : « Les persécutions, si fréquentes en ce pays contre les Catholiques – rapporte Dezallier d'Argenville, se réveillerent en ce tems-là, & ils eurent ordre de sortir promptement de Londres. »[20] Plusieurs dispositions du Parlement, opposé à la politique de Charles II, tendaient en effet à exclure les catholiques des emplois publics, depuis les plus petits fonctionnaires (*First Test Act* en 1673, confirmé par le *Second Test Act* en 1678) jusqu'aux princes appelés à gouverner le pays (*Bill of Exclusion* en 1679). Par l'intermédiaire de la chambre des Lords, qui rejeta à plusieurs reprises ces différents textes, le roi réussit à se maintenir tant bien que mal au pouvoir et, ainsi, à préparer l'avènement de son frère, qui se fit, nous l'avons vu, en 1685. Cela n'empêcha pas les activistes protestants de maintenir une pression constante sur la vie politique et, en 1678, un aventurier nommé Titus Oates fit courir le bruit qu'un complot papiste menaçait l'intégrité du royaume : Londres vécut alors de véritables scènes d'hystérie collective, durant lesquelles furent torturés et massacrés de nombreux catholiques.

Le comte de Bérulle,
Nicolas de Largillierre,
vers 1705, h/t, 1,47 x 1,14 m.
Londres, Partridge
Fine Arts Ltd.

Dans ce climat tendu, l'équipe du peintre italien Verrio, constituée pour une bonne part d'artistes étrangers, avait de bonnes raisons de s'inquiéter. Aussi le Conseil du roi prit-il, le 16 novembre 1678, les mesures nécessaires à ce que fussent préservés des persécutions « *several foreigners, being painters and other artists employed in painting and adorning Windsor Castle, who being Popish Recusants, are liable to the prosecution and penalties by the law enjoined* »[21] (« plusieurs étrangers, peintres et autres artistes employés à la peinture et à la décoration du château de Windsor, qui étant papistes, sont exposés aux poursuites et aux peines encourues par la loi »). La liste de ces artistes protégés s'ouvrait sur les noms d'Antonio Verrio, de sa femme et de leurs deux fils ; puis venaient ceux de cinq collaborateurs du chef d'atelier, de l'un de ses apprentis, d'un broyeur de couleurs, d'un doreur, de deux sculpteurs, de leurs femmes respectives, de leurs enfants et de leurs domestiques. La mesure fut étendue le 1er décembre suivant au peintre de fleurs Antonio Montingo et à sa femme, puis, le 21 mai 1679, à un certain « Nicholas de Lauzellier »[22] derrière lequel Myra Nan Rosenfled voit, avec raison pensons-nous, se profiler le jeune artiste venu d'Anvers[23].

LE RETOUR À PARIS

Il faut croire que ces dispositions ne furent pas de nature à rassurer Nicolas. Et les événements de 1688, le retrait de Verrio en province, devaient bientôt lui donner raison. « Un François, qui étoit dans le cas, vint prendre congé de Largilliere, & lui dit qu'il partoit pour Paris : le nom de cette ville fit naître à celui-ci l'envie de l'accompagner, & de revoir sa famille, dont il étoit séparé depuis long-tems. »[24] Largillierre quitta vraisemblablement Londres peu après la mesure de protection prise en sa faveur le 21 mai 1679. Il eut en effet le temps de peindre à Paris, la même année, le grand et impressionnant *Portrait de Jean-Baptiste Tavernier*[25], immédiatement gravé par Johann Hainzelmann.

Quelle famille le peintre pouvait-il tant souhaiter revoir en France ? Son père, sa mère et ses trois sœurs qui y seraient eux aussi rentrés ? Cela n'est pas impossible, car le nom d'Antoine de Largillierre ne se trouve inscrit dans les registres de la guilde de Saint-Luc, à Anvers, que jusqu'en 1671, trois ans avant que Nicolas n'y soit lui-même reçu maître peintre. Aucune trace ultérieure ne semble subsister à Paris, cependant, des proches parents de l'artiste, dont on reste dès lors sans nouvelles. D'autres branches de la famille y avaient néanmoins prospéré dans la chapellerie ou la passementerie : des grands-oncles, des oncles et des cousins auprès de qui Nicolas dut recevoir le meilleur accueil.

De toute évidence, l'arrivée du peintre avait été annoncée par les artistes flamands de Londres à ceux de même origine établis à Paris. Dezallier d'Argenville souligne le rôle d'introducteur joué par Adam François Van der Meulen (1632-1690), frère du Pieter Van der Meulen que Largillierre avait connu en Angleterre : « Il parla de lui à Charles le Brun, premier peintre du Roi, qui, craignant que Largilliere ne repartît pour Londres, & jugeant alors de ce qu'il feroit un jour, fit tout ce qu'il put pour le retenir. Largilliere se souvenoit encore dans un âge avancé des paroles de le Brun : *Mon ami, quand on peut briller dans son pays, pourquoi porter ses talens ailleurs.* Ce discours lui fit perdre aussitôt l'idée du voyage d'Angleterre et il se fixa à Paris. »[26] Largillierre avait fait à Londres, vers 1675-1679, le portrait de Pieter Van der Meulen[27], et il fit à son arrivée à Paris celui d'Adam François[28] qui, affirme Dezallier, lui offrit son œuvre gravé. Originaire de Bruxelles, Jan Van der Bruggen (né en 1649) paraît avoir été l'un des premiers graveurs de Nicolas à Paris, tout comme Pierre-Louis Van Schuppen (1627-1702) et Gérard Edelinck (1640-1707), lesquels, natifs d'Anvers, avaient choisi de faire carrière en France. Ces relations – et sans doute ces amitiés – furent prolongées par les portraits que fit Largillierre de Van der Bruggen[29], vers 1689, et Van Schuppen[30], vers 1680-1683.

Acquis par l'entremise de Van der Meulen, le protectorat de Le Brun (1619-1690) était des plus précieux : directeur de l'Académie royale de peinture et de sculpture, ainsi que de la manufacture royale des Gobelins, le premier peintre de Louis XIV régnait sur tous les grands chantiers du royaume. Il travaillait alors, avec une impressionnante équipe de collaborateurs, à l'embellissement des maisons royales, et particulièrement aux appartements et à la Grande Galerie du château de Versailles, qu'il devait achever et découvrir en 1684.

L'INFLUENCE DU PORTRAIT ANGLAIS

Paris manquait alors de bons portraitistes : Philippe de Champaigne s'était éteint en 1674 et Claude Lefebvre – peintre de grande qualité dont l'œuvre réapparaît doucement – l'année suivante. Seul François de Troy (1645-1730), originaire de Toulouse et fixé à Paris à la fin des années 1660, semblait devoir donner au genre un souffle nouveau. Dans l'étude que nous lui avons consacrée[31], nous n'avons sans doute pas suffisamment insisté sur le rôle essentiel joué par de Troy dans l'évolution du portrait français de cette époque : l'esthétique classique et mesurée qui était celle de Champaigne et de Lefebvre (il avait été l'élève de ce dernier) connut avec de Troy une sensible inflexion marquée par le dynamisme, l'harmonie et l'écriture libre du portrait flamand. De cette influence, ses deux prédécesseurs n'avaient retenu que le beau fini du métier. L'élégance de Van Dyck, particulièrement, semble avoir attiré l'attention de François de Troy qui, dès la fin des années 1670, anima ses portraits d'un mouvement plus libre, d'une touche souple et d'un coloris chatoyant jusqu'alors inconnus. En cela, le genre du portrait ne faisait d'ailleurs que suivre l'évolution générale de la peinture française, dont on sait qu'elle fut marquée, à partir des années 1670 justement, par le débat qui opposa les partisans d'une conception résolument classique de l'art, reposant sur le primat du dessin, et ceux d'une vision plus sensible, soutenue par les effets changeants du clair-obscur et de la couleur. L'issue de la querelle, on le sait, fut au bénéfice des coloristes.

Largillierre tombait donc à point nommé – et Le Brun le comprit immédiatement – pour ajouter aux aspirations de François de Troy la verve qui le portait : « Chacun s'empressoit à exercer ses talens, & à étendre la gloire de son nom (...). On ne parloit que de son habileté pour peindre les Dames, dont les graces, loin de diminuer, gagnoient beaucoup entre ses mains. »[32] Le peintre tenait de sa formation flamande un métier des plus accomplis, que l'art exigeant de la nature morte lui avait permis de pousser à la dernière perfection. Il avait en outre pratiqué le portrait à Londres, quoique assez peu semble-t-il, et avait pu s'y imprégner des meilleures influences : le souvenir de Van Dyck est souvent évoqué, bien sûr, et il n'est pas douteux que Largillierre fit son profit des très nombreux portraits que le brillant élève de Rubens avait multipliés pour l'aristocratie anglaise. Ses premières œuvres parisiennes, cependant, montrent qu'il avait surtout assimilé le vocabulaire élégant et précieux des grands portraitistes anglais, au premier rang desquels figurait bien sûr Peter Lely, déjà cité. Bien que rien ne permette de supposer que Largillierre ait jamais fréquenté l'atelier de Lely au titre d'élève, il est assuré, nous l'avons vu, que les deux hommes se connurent et s'apprécièrent. Ignorant la monumentalité et la gravité des compositions de Van Dyck, Lely en avait retenu néanmoins l'élégance des poses. Au coloris harmonieux du grand maître flamand, il avait privilégié des tonalités souvent acides et dissonantes, un métier moins enlevé, plus souple et plus soigné, préférant au combat pictural inscrit dans la matière la superficie brillante d'étoffes chatoyantes. Il avait fait passer le portrait anglais de l'effigie humaniste, portée par un souci constant de dignité, à l'évocation d'une aristocratie plus légère et peu soucieuse de transcendance, en apparence tout du moins. S'il rappelle les formules de Van Dyck, le *Portrait d'Anne Hyde, duchesse d'York*, peint par Lely peu après 1660, est de ceux qui retinrent sans doute l'attention du jeune Largillierre : la lumière claire inondant le premier plan, la pose naturelle du modèle, son regard enjôleur soutenu par un discret sourire, les mains aux doigts très longs, l'opposition puissante de la robe jaune et de l'écharpe bleue, la fontaine baroque à l'orée d'un bois exubérant, tous ces détails constituèrent bientôt le répertoire favori du peintre français. Le *Portrait d'un jeune gentilhomme inconnu* et le *Portrait d'un jeune prince et de son précepteur*, tous deux peints par Largillierre au début des années 1680, portent la marque très évidente de cet ascendant du maître anglais sur son art.

Portrait d'Anne Hyde, duchesse d'York, *Peter Lely, vers 1660, h/t, 1,822 x 1,438 m. Édimbourg, Scottish National Portrait Gallery (inv. 1179).*

Lely avait été précédé dans cette orientation par un autre portraitiste qui, s'il n'était mort prématurément, eût sans doute constitué pour lui un concurrent très sérieux : William Dobson (1611-1646). Largillierre devait apprécier les œuvres de ce dernier, car, outre leur belle qualité décorative, elles présentaient des empâtements plus nourris et une plus grande liberté de pinceau que celle du premier peintre de Charles II. L'audace de la palette, surtout, en était remarquable et dut inspirer Nicolas qui, durant son séjour à Londres, y trouva sans doute plus d'attraits qu'à la gamme unifiée des portraitistes qu'il avait connus à Anvers. Il ne manquait aux portraits de Dobson que la souplesse de Lely pour que Largillierre y trouvât un modèle accompli.

LES PREMIERS LIENS AVEC L'ACADÉMIE ROYALE

Formé au beau métier flamand, nourri de l'élégance du portrait anglais, Largillierre était appelé à rencontrer un succès rapide auprès des amateurs français : ils trouvaient en ses œuvres de la sensibilité mais avec de la distinction, de l'harmonie mais avec de l'éclat, du mouvement mais avec un équilibre dont l'académie continuait d'enseigner les mérites. Tandis que le goût changeait à Paris et que le charme du coloris l'emportait peu à peu sur les vertus du dessin, la peinture de Largillierre, claire, lisible, vive de propos et de facture, pensée et sensible tout à la fois, apparaissait comme une sorte de compromis possible entre deux discours que l'on pensait inconciliables. En choisissant de s'établir en France, le peintre prenait son ultime parti, celui résolument académique de l'éclectisme dont il se savait capable plus que tout autre et que bien vite on reconnut. Également doué pour le portrait et la nature morte, le jeune artiste allait se révéler paysagiste de talent et, même, peintre d'histoire inspiré : « Un tableau du Parnasse dont il fit présent à un de ses amis, lui acquit l'estime de tous les connoisseurs. »[33] Toutes les conditions étaient donc réunies pour qu'il fît une forte impression sur les membres de la respectable Académie royale de peinture et de sculpture, créée en 1648 afin d'affranchir les meilleurs artistes du joug corporatif, qui considéraient le genre historique comme supérieur aux autres en ce qu'il exige la connaissance de toutes les parties de la peinture. Enfin, l'art de paraître en cour, dont Louis XIV entendait qu'il constituât la plus grande préoccupation des nobles qu'il avait arrachés à leurs terres, prit un nouvel essor avec l'installation du roi à Versailles en 1682 : les portraits de Largillierre durent alors être perçus comme l'expression parfaite de la nécessité où se trouvait chacun de vivre en une continuelle représentation. Effets d'un nouveau rituel monarchique autant que modèles à suivre, ils donnaient désormais le ton.

La comtesse de Rupelmonde,
Nicolas de Largillierre,
vers 1707, h/t, 1,31 x 0,93 m.
Grande-Bretagne,
collection particulière.

Et que le peintre ait peu fréquenté la cour elle-même ne change rien à l'affaire. À l'époque où la noblesse jalousait la fortune des grands bourgeois, où ceux-ci enviaient la particule de ceux-là, un même portrait mondain allait satisfaire les uns et les autres, un portrait fait de chorégraphie festive et de désinvolture très mesurée, un portrait qui serait l'expression parfaite de l'honnête homme : soumis aux puissances mais avec de l'aisance, respectueux de l'ordre mais avec de l'esprit. Attiré par cette manne, le grand Hyacinthe Rigaud (1659-1743) devait quitter Lyon où il vivait depuis trois ou quatre ans et s'installer lui aussi à Paris, peu après Largillierre, en 1681. Plus proche de la cour, peut-être trop proche, Rigaud allait être le plus grand concurrent de son aîné durant plus de soixante années ! Mais tandis que le Catalan, par la solennité de son ton, par l'harmonie chaude de son coloris, par le fini précieux de ses draperies, de ses perruques et de ses dentelles, allait soumettre l'art du portrait au réalisme d'un cérémonial aristocratique ininterrompu, Largillierre, en sens inverse, allait forcer ses modèles à se plier aux fantaisies de la peinture, à s'identifier à l'être en cela qu'il est peint, à l'être non pas donné – comme chez Rigaud –, mais reconnu dans la sublimation vibrante et incertaine de sa représentation. Voilà bien pourquoi les amateurs des trois derniers siècles reconnurent toujours en Largillierre un grand peintre plutôt qu'un simple portraitiste, et pourquoi ils virent en Rigaud un chroniqueur attentif plutôt qu'un poète.

Introduit par Van der Meulen auprès de Le Brun, comme nous l'avons dit, Nicolas parut pour la première fois devant les membres assemblés de l'Académie royale le 6 mars 1683 : « le sieur Nicolas de l'Argillière, Parisien, s'est présenté et a faict voir de ses ouvrages, lesquels ayant esté examinés, sa présentation a esté agréée, et luy a esté ordonné de faire pour sa réception le portraict de M. Le Brun, luy laissant la grandeur du tableau à sa volonté, à quoy il travaillera incessamment. »[34] L'honneur qui était fait à l'artiste de devoir immortaliser le premier peintre de Louis XIV était assurément grand, et les académiciens, instruits des talents du jeune portraitiste, ne manquèrent pas de laisser la dimension de cette œuvre à sa convenance. Ils faisaient le pari qu'en de telles circonstances Largillierre se surpasserait et livrerait un tableau d'exception. Sans doute lui avait-on suggéré, d'ailleurs, de soigner cet hommage : le premier peintre vieillissait et l'on pouvait craindre qu'il ne vît jamais, dans la salle de l'Académie, un portrait qui fût à la hauteur du rôle qu'il y tenait depuis de longues années. La mort de Colbert, en septembre 1683, et l'arrivée de Louvois aux affaires devaient, on le sait, donner à Mignard une importance croissante jusqu'à ce qu'il fût, à la mort de Le Brun, investi de toutes les charges de celui-ci.

Largillierre néanmoins tarda à rendre son tableau, et le 6 mars 1684, les académiciens s'en inquiétèrent jusqu'à dépêcher chez lui Gabriel Blanchard et Étienne Lehongre pour le « voir travailler (...) au portraict qu'il fait de Monsieur Le Brun. »[35] Le 25 novembre suivant, ils adressèrent au peintre une nouvelle injonction : « Les sieurs Grenier, Sculpteur, et Largillière, Peintre, en portraicts, sont avertis de rendre compte à la Compagnie de la négligence qu'ils ont eu de n'avoir pas encor achevé leurs ouvrages de réception. »[36] Nicolas ne dut guère s'en émouvoir car, le 29 novembre, Le Brun adressait à l'abbé Charles-Antoine de Gondi, secrétaire d'État au Grand-Duché de Toscane, un autoportrait que lui avait demandé Côme III de Médicis dès 1682. Or, Le Brun, entièrement absorbé par la réalisation de la Grande Galerie du château de Versailles, semble n'avoir pas hésité à demander à Largillierre, lui-même occupé depuis le mois de mars 1683 par son morceau de réception, d'en faire une version en buste qu'il adressa au Grand-Duc comme étant de sa propre main. Le prince l'en remercia par quatre caisses de vin et une de saucissons, et c'est ainsi que dans la fameuse galerie d'autoportraits des Offices figure aujourd'hui un Charles Le Brun qui doit tout à Largillierre.[37] Le premier peintre aurait-il omis de partager avec son portraitiste vin et saucisson qu'il se devait, à tout le moins, de comprendre son retard et de le soutenir auprès des académiciens. Chacun s'employa donc à sauver les apparences et l'affaire en resta là.

Nicolas reparut à l'Académie le 30 mars 1686 : « Le Sieur Nicolas de Largillière, Peintre, a présenté à la Compagnie le portraict de Monsieur Le Brun, qui luy avoit esté ordonné en l'assemblée du sixiesme Mars 1683, lors de sa présentation, pour

luy servir à sa réception en l'Académie. La Compagnie, après avoir veu et examiné son tableau et pris les voix par les fèves en la manière ordinaire, la Compagnie a reçeu et reçoit ledit Sieur Nicolas de Largillière en qualité d'Académicien, pour avoir séance dans les assemblées et jouir des privilèges attribuéz à la dite qualité, et a presté serment entre les mains de Monsieur Le Brun, président cejourd'huy. La Compagnie l'a déchargé du présent pécuniaire et a ordonné que ses Lettres luy soient délivrées. »[38] Le tableau est aujourd'hui conservé au musée du Louvre : Le Brun y apparaît confortablement assis dans un somptueux fauteuil de velours damassé vert, aux accotoirs et pieds dorés. Vêtu d'une veste brochée d'or, drapé dans un manteau de velours cramoisi doublé de satin bleu, chaussé de mules rouges, le premier peintre tient d'une main une poignée de pinceaux et, de l'autre, désigne quelques œuvres d'art disposées devant lui : sur un chevalet, faisant face au spectateur, une grande esquisse de forme cintrée à oreilles représente Louis XIV, en 1674, conquérant la Franche-Comté pour le seconde fois[39], sujet développé à l'identique par Le Brun sur la voûte de la Grande Galerie du château de Versailles, que le maître venait d'achever (1684). Sur une table, couverte d'un épais tapis oriental, quelques estampes, parmi lesquelles celle – mise en évidence – gravée par Gérard Edelinck d'après *Les reines de Perse aux pieds d'Alexandre,* peint par Le Brun à la demande du roi en 1660-1661. Deux sculptures achèvent de composer ce musée idéal du grand peintre : un petit *Antinoüs* de marbre et un bronze inspiré du *Gladiateur Borghèse.* Au sol, derrière le fauteuil, se voient encore un torse à l'antique, une tête de femme, des cartons à dessins, un globe céleste… Le tableau de Largillierre fut d'emblée considéré comme le portrait officiel de Le Brun, à telle enseigne que Mignard, lorsqu'il accéda aux fonctions suprêmes en 1690, se chaussa pour ainsi dire des mules académiques laissées vacantes par la mort de son ancien rival, et brossa un *Autoportrait* qui plagiait avec une ostentation coupable l'effigie de feu le premier peintre.[40] Offert par Mignard à sa fille Catherine, comtesse de Feuquières, le tableau fut donné par elle à l'Académie royale le 28 septembre 1696. Son père s'était éteint l'année précédente, mort du désir, sans doute, de voir son portrait remplacer enfin celui de Le Brun dans la grande salle de la vénérable institution.

DERNIER VOYAGE À LONDRES

Une circonstance particulière pourrait expliquer que Largillierre ait un peu tardé, entre 1683 et 1686, à livrer son morceau de réception : « À l'avénement de Jacques II à la couronne d'Angleterre, on le manda pour peindre les portraits du Roi et de la Reine, qu'un Seigneur avoit demandé, avec la grace particuliere que ce fut Largilliere qui les fit : distinction peu commune. Les récompenses & les marques de bonté qu'il reçut de leurs Majestés Angloises, firent connoître à la Cour de Londres quel étoit leur contentement. Les prix exorbitants que les Seigneurs Anglois proposerent à Largilliere pour faire leurs portraits, ne le tenterent point ; la jalousie des peintres du pays, que son mérite lui avoit suscitée, le détermina à reprendre promptement la route de France. Ce fut son troisiéme & dernier voyage en Angleterre. »[41] Ainsi, le peintre français occupait encore assez la mémoire des aristocrates anglais pour que ceux-ci fissent appel à lui peu après l'avènement

Portrait de Charles Le Brun,
Nicolas de Largillierre,
1683-1686,
h/t, 2,32 x 1,87 m.
Paris, musée du Louvre
(inv. 5661).

de Jacques II, en février 1685. Il est vrai que Lely était mort en 1680 et que la jeune génération des portraitistes anglais manquait peut-être un peu de cette élégance qui avait fait son succès. Sir Godfrey Kneller (1646-1723), particulièrement, qui allait devenir premier peintre du roi en 1688 et le demeurer toute sa vie, faisait preuve de moins d'originalité que ses devanciers : le format qu'il mit au point pour peindre de nombreux membres du *Kit-cat Club* – aujourd'hui connu sous le nom de *Kit-cat format* (36 x 28 *inches*, sensiblement supérieur au traditionnel 30 x 25 *inches*) – lui permit de développer une formule inattendue consistant à composer ses portraits à mi-corps et à valoriser, dans l'espace agrandi, l'un des bras et l'une des mains de ses modèles. Le *Kit-cat format* s'imposa ainsi comme un moyen terme assez satisfaisant – et économique – entre la simple composition en buste, un peu étroite, et des options plus ambitieuses. L'effet de répétition, hélas, était inévitable et les cimaises de la National Portait Gallery de Londres, dans les salles consacrées à Kneller, montrent assez les limites de ce parti pris.

La comtesse de Montsoreau et sa sœur,
Nicolas de Largillierre, 1714, h/t, 1,325 x 1,113 m. Localisation actuelle inconnue.

Largillierre se rendit-il immédiatement en Angleterre après l'avènement de Jacques II en février 1685 ? Cela est peu probable, car le 11 avril suivant, le peintre est documenté à Paris, où il tient sur les fonts baptismaux de l'église Saint-Benoît le fils du graveur Hendrick Janssens.[42] Il faudrait alors supposer un séjour à Londres de quelques semaines tout au plus, le temps pour Largillierre de brosser les portraits du roi, de la reine et de quelques courtisans. Parmi ces derniers, Vertue cite ceux de sir John Warner, de son fils, de ses deux filles, et John Smith grava en effet, peu après, le portrait de la cadette, seul témoignage subsistant de cet ensemble familial.[43] La date de 1686 portée sur l'estampe de Smith semble pouvoir situer l'exécution de ces portraits lors du troisième séjour de Largillierre en Angleterre. Mais le peintre aurait-il eu le temps, entre la fin du mois de février et le début du mois d'avril 1685, de réaliser tous ces tableaux ? Il serait plus sage de placer ce dernier voyage entre la mi-avril et la fin de l'année 1685, voire le début de l'année suivante. L'hypothèse serait alors que Largillierre, en dépit des injonctions qui lui avaient été faites par les membres de l'Académie royale en mars et novembre 1684, différa une dernière fois l'achèvement de son morceau de réception pour se rendre à Londres. Sensible à l'honneur fait au portraitiste français, Le Brun put couvrir de son autorité cet ultime écart, et il est à noter d'ailleurs que jusqu'à la livraison de son tableau, le 30 mars 1686, Largillierre ne fut apparemment plus réprimandé par l'Académie. Il a enfin été suggéré[44] que le peintre se serait rendu à Londres seulement après avoir achevé et livré son portrait de Le Brun, c'est-à-dire au printemps de 1686. La publication des portraits gravés de Jacques II et de Marie de Modène par Isaac Beckett (annonce faite par la *London Gazette* du 9 décembre 1686) et par Smith (annonce faite dans le même journal quatre jours plus tard) pourrait indiquer en effet que les toiles de Largillierre avaient été achevées très peu de temps auparavant, soit seulement au cours de l'année 1686. Qu'il date de 1685 ou de 1686, le *Portrait de Jacques II, roi d'Angleterre* nous est seul parvenu[45], celui de la reine étant perdu, et il semble que l'activité du peintre à Londres ait été assez réduite durant cet ultime séjour en Angleterre.

LES ÉCHEVINS DE PARIS

La livraison de son portrait de Le Brun à l'Académie et l'invitation qu'il avait reçue de la cour d'Angleterre valurent à Largillierre une reconnaissance immédiate de la part des amateurs les plus éclairés. Les échevins de Paris, notamment, allaient donner au peintre, à plusieurs reprises, l'occasion de faire valoir ses talents.

À la tête du corps municipal se tenait le prévôt des marchands, parisien d'origine, élu par un collège de 77 membres le 16 août de chaque année, pour un mandat de deux ans renouvelable trois fois au plus.[46] Le prévôt était secondé par quatre échevins, également élus pour deux ans, mais renouvelés pour moitié tous les ans[47]. Le premier échevin était commis au budget de la ville, le deuxième aux chantiers, corps de garde et ports, le troisième aux boulevards et aux places, le quatrième aux fontaines et aux égouts. Le corps échevinal était encore composé d'un greffier, chargé de l'enregistrement et de la diffusion des sentences, d'un receveur, affecté à la gestion des revenus de la ville, et d'un procureur du roi et de la ville. Chacun se reconnaissait à sa mise : le prévôt des marchands portait une soutane de satin rouge, sous une robe de palais ouverte, mi-partie de velours rouge et tanné (brun violacé). Les quatre échevins arboraient une même robe, mais ouverte sur une soutane noire. Le greffier portait une robe identique, mais les deux manches en étaient rouges. Celle du receveur devait être entièrement de drap tanné, mais l'usage se répandit, afin qu'elle parût moins austère, de la faire semblable à celle des échevins. Quant à celle du procureur, elle était toute de drap écarlate.

La tradition voulait que les édiles de Paris se fissent représenter en de beaux portraits collectifs destinés à orner les salles de l'Hôtel de Ville. La régularité de ces commandes, liée au renouvellement quasi permanent du corps échevinal, la taille souvent imposante des œuvres, la nécessité où se trouvait le peintre de montrer sa capacité à varier sur un thème assez contraignant (nombre constant des échevins, respect de la préséance, permanence des costumes et de leur dominante chromatique), l'attrait d'un lieu d'exposition public étaient autant de facteurs propres à créer une belle émulation entre les artistes. Georges Lallemand (1614), Louis Beaubrun (1620), Philippe de Champaigne (1625, 1649, 1652 et 1656), Antoine Le Nain (1632), Laurent de La Hyre (1653), Charles et Henri Beaubrun (1660), Pierre Mignard (1673) et Noël Coypel (1674), parmi d'autres, se livrèrent ainsi à l'exercice. Quelques-uns de ces tableaux nous sont parvenus, mais la plupart ont disparu, détruits, donnés aux prévôts arrivés en fin de mandat, peut-être vendus, parfois découpés pour être offerts en morceaux aux différents modèles ayant posé... Outre le fait que les salles de l'Hôtel de Ville ne pouvaient contenir l'ensemble croissant de cette galerie de portraits, la gloire jalousée des échevins était trop éphémère pour que l'on s'encombrât d'en entretenir le souvenir par l'image.

Embarrassée par les limites du genre, inspirée par de nouvelles influences, la génération montante des portraitistes de la fin du règne de Louis XIV, en accord avec ces Messieurs de la ville, allait donner un tour plus ambitieux à la conception de ces grandes machines municipales : autrefois représentés à genoux, priant devant un crucifix ou l'effigie de sainte Geneviève, les échevins allaient désormais paraître au premier plan de compositions évoquant, sous forme allégorique, un sujet d'actualité ayant trait à la vie de la ville, à celle du roi ou à quelque événement d'importance survenu dans la famille royale. Cette nouvelle formule, inaugurée semble-t-il dans les années 1670 (notamment par Coypel), devait trouver en François de Troy un interprète particulièrement prisé des échevins. Sollicité dès 1682, il donna une *Allégorie de la naissance du duc de Bourgogne* dont le musée Carnavalet conserve un précieux dessin préparatoire : les membres du corps municipal s'y voient debout, portés par le mouvement chorégraphique de leurs lourdes robes, assistant à l'apparition, dans les nuées, d'Apollon et de Minerve à qui la France est venue confier le destin du jeune prince.[48] De Troy revint à une présentation plus traditionnelle – mais le tableau était alors destiné à l'église Sainte-Geneviève – lorsqu'il exécuta, en 1709, un grand ex-voto réunissant les échevins en prière devant le maître-autel du sanctuaire.[49] Trois autres grands tableaux suivirent, en 1716-1717 (*Commémoration de la paix d'Utrecht*, perdu)[50], en 1725-1726 (*Ex-voto à sainte Geneviève*, en collaboration avec Jean-François de Troy, Paris, église Saint-Étienne-du-Mont)[51], et à nouveau en 1725-1726 (*Allégorie du mariage de Louis XV*, perdu).[52]

Durant plus de trente ans, Largillierre allait devenir le concurrent le plus remarqué de son aîné, et les échevins firent appel à lui dès son retour de Londres : « À peine fut-il arrivé à Paris, que les Officiers de la ville lui commanderent deux grands tableaux qui se voient dans la grande salle de l'hôtel de ville ; l'un est le repas que la ville de Paris donna, en 1687, à Louis XIV & à toute sa Cour, au sujet de sa convalescence ; l'autre est le mariage de M. le duc de Bourgogne, avec Marie-Adélaïde de Savoye, conclu en 1697. La capacité de Largilliere, son beau génie, sa facilité, y parurent dans tout leur jour, & ces tableaux furent suivis d'un autre aussi grand, placé dans l'Église de sainte Geneviève, pour acquitter le vœu que la ville fit en 1694, après deux années de stérilité. »[53]

LA FISTULE DU ROI

Les circonstances de la commande du premier de ces trois tableaux sont assez bien connues : le 15 janvier 1686, Louis XIV s'était plaint « d'une petite tumeur devers le périnée », tumeur qui, résistant aux traitements courants, se transforma bien vite en abcès. Charles-François Félix, chirurgien du roi, proposa dès le mois de février d'opérer Sa Majesté, qui ne voulut pas entendre raison. Le mal progressant, il lui fallut néanmoins se résoudre à faire le pas, et le 18 novembre 1686 le roi confia son auguste derrière à Félix qui, après s'être fait la main sur quelques fistuleux, avait fabriqué pour l'occasion un bistouri courbe, bientôt nommé « bistouri à la royale ». L'opération se déroula au mieux, sous les yeux de madame de Maintenon et de Louvois, témoins du grand courage du roi, qui souffrit cette intervention à vif « sans qu'il lui soit échappé le moindre mot. »[54] Après quelques nouveaux coups de ciseaux, au début de décembre, le roi recouvra une parfaite santé et, pour en rendre grâce à Dieu, conçut le projet d'aller entendre la messe à Notre-Dame de Paris. Cette cérémonie eut lieu le 30 janvier 1687 et à sa demande, Louis XIV se rendit le même jour à l'Hôtel de Ville, où il avait souhaité être reçu pour le dîner, contrairement à la coutume qui, au nom de la séparation des pouvoirs, voulait qu'un roi n'y fût reçu qu'un court instant pour y prendre tout au plus une collation. La demande du roi avait reçu l'assentiment d'Henry de Fourcy, prévôt des marchands, qui fit le meilleur accueil au monarque : « il y avoit cinquante-cinq couverts. Tous les princes du sang, les enfants du roi et toutes les dames qui avoient suivi, mangèrent avec le roi. Le prévôt des marchands le servit à table. Sa femme servit madame la Dauphine… »[55]

Le 8 août suivant, les échevins décidèrent de faire peindre « un tableau par le plus excellent peintre (…) pour représenter cette grande feste », lequel tableau tiendrait lieu « de celuy que l'on a accoustumé de faire en fin de la prévosté » et serait « placé en la grande salle de l'hostel de ville à l'endroit le plus exposé à la veue de ses bourgeois et citoyens et des estrangers que la curiosité de voir le dict hostel de ville y faict venir journellement. »[56] À ce qu'il semble, le « plus excellent peintre » pressenti fut tout d'abord Rigaud : en rendant à ce dernier la paternité de deux esquisses conservées l'une au musée de Picardie, à Amiens, et l'autre dans une collection particulière française, Georges de Lastic a brillamment montré que le peintre catalan avait été premièrement sollicité.[57] Les deux tableaux de Rigaud présentent une composition voisine : réunis autour d'une table, les huit membres du corps municipal devisent à propos de la statue qu'Antoine Coysevox devait installer bientôt dans la cour de l'Hôtel de Ville.[58] Lors de sa visite, Louis XIV avait demandé au prévôt des marchands de faire enlever celle qui, en 1654, avait été réalisée par Gilles Guérin et où le jeune roi se voyait terrassant le Parisien rebelle, souvenir des heures sombres de la Fronde : « Ôtez cette figure, elle n'est plus de saison », aurait-il dit sur le ton de la réconciliation.[59]

Portrait présumé de la comtesse de Noirmont en Diane,
Nicolas de Largillierre, 1715,
h/t, 1,365 x 1,055 m.
France, collection particulière.

Pour une raison que nous ignorons, Rigaud ne mena pas à terme un projet qui, d'ailleurs, semble n'avoir fait l'objet d'aucun contrat, et le 1er avril 1689, commande fut passée à Largillierre d'un « tableau de quinze à seize pieds en dedans de la bordure sur dix pieds et demy de hault, représentant sur le devant les officiers du bureau de la ville assis et délibérant sur les marques les plus éclatantes qu'ils peuvent laisser à la postérité de l'honneur que la Ville a receu le jour que le Roy est venu disner en l'hostel de la dicte ville, et sur le derrière du dict tableau le festin de ceste grande journée dans une manière de second tableau »[60], le tout moyennant la somme de 4 000 livres. Aujourd'hui perdu, ce grand tableau[61] fut longtemps considéré comme l'un des chefs-d'œuvre du maître. Le souvenir en est gardé par un *ricordo*[62] autographe conservé au musée de l'Ermitage, à Saint-Pétersbourg[63] et par deux esquisses ici présentées (n° 8 et 9). L'ensemble rappelle le dispositif mis en place par Rigaud dans ses propres esquisses, et il semble que l'idée que les échevins se faisaient du tableau ait été assez arrêtée pour que Largillierre n'ait eu qu'à varier sur un thème imposé. Les différences entre les projets des deux peintres sont néanmoins considérables : à la vue plongeante adoptée par Rigaud, induisant un regard dominant la scène, Largillierre a préféré une ligne d'horizon plus basse, donnant une plus grande monumentalité aux modèles. Cette différence se ressent également dans le système perspectif adopté par les deux artistes dans la représentation du tableau fictif, situé à l'arrière-plan, évoquant le dîner du 30 janvier 1687 : par deux fois le regard de Rigaud domine le couvert du roi, tandis que celui de Largillierre, tangent au plateau de la table, exprime comme la révérence obligée du spectateur au souverain. Le coloris un peu sourd de Rigaud trouve avec Largillierre une clarté valorisant les contrastes et insufflant ainsi au groupe de personnages un rythme plus marqué. Autant qu'on puisse le supposer, enfin, la touche du peintre devait être plus libre que celle de Rigaud, ses empâtements plus riches et variés, le tout conférant à l'œuvre une qualité expressive et décorative fort bienvenue sur son lieu de fonction.

VIE PRIVÉE ET CLIENTÈLE

À Paris, Largillierre s'était installé avec sa sœur cadette, Marie-Élisabeth, dont on ignore quand elle quitta Anvers pour rejoindre son frère. Tous deux habitaient une confortable maison sise rue Sainte-Avoye, au n° 51 de l'actuelle rue du Temple. Quelque peu transformée au XVIIIe siècle, la demeure garde l'aspect général que lui connut le peintre : rez-de-chaussée et entresol se développant autour d'un grand porche central, puis étage noble à hautes fenêtres, surmonté de combles. Les commandes de portraits qui ne tardèrent pas à affluer permirent à Largillierre de s'enrichir très vite et de se meubler somptueusement. En témoigne la déclaration qu'il dut faire au Châtelet, le 17 avril 1700, de son mobilier de bois doré, conformément à l'édit somptuaire qui venait d'être promulgué : « Un clavecin doré et peint avec son pied doré, le pied d'une table de marbre, de bois doré, quatre fauteuils, six chaises et quatre tabourets dont les bois sont dorés, deux garnitures de feu avec pelles, pincettes et tenailles dont les pommes sont dorées, deux bras de cuivre doré, deux guéridons de marquetterie garnis de quelques ornements de bois dorés et huit petits pieds de bois doré pour mettre des porcelaines. »[64]

La clientèle de Largillierre était alors considérable et comprenait des représentants de toutes les classes supérieures de la société. « Ce peintre eut peu de liaison avec la Cour de France, auprès de laquelle il n'a jamais fait aucune démarche ; il aimoit mieux, à ce qu'il m'a dit plusieurs fois, travailler pour le public : les soins en étoient moins grands, & le payement plus prompt. Il fit cependant les portraits de M. le Duc de Bourgogne, du Duc de Berry, & de plusieurs autres Princes ; mais il n'a jamais eu de pension. »[65] Peut-être cette remarque de Dezallier d'Argenville est-elle à l'origine d'une idée reçue selon laquelle Largillierre aurait été le peintre de la bourgeoisie et de la ville, et Rigaud celui de l'aristocratie et de la cour, au nom d'une sorte d'accord tacite entre les deux portraitistes. La comparaison de divers documents les concernant montre néanmoins que leur clientèle était sensiblement la même, nombre de modèles ayant même fréquenté les deux ateliers. Il est vrai que Rigaud, lorsqu'il arriva à Paris, eut peut-être à cœur de se faire davantage remarquer de la cour, tandis que Largillierre, nous venons de le voir, engagea une relation suivie avec les échevins de la capitale. Il est également vrai que Rigaud peignit plusieurs fois le roi, ce que ne fit pas Largillierre : le ton emphatique du premier convenait naturellement mieux à la représentation du souverain que l'élégance légère du second. Il est vrai enfin que le dessin précis et serré de Rigaud développait une esthétique de la limite et de la permanence propre à soutenir l'identité d'un roi et la pérennité d'une dynastie ; de même, le refus du peintre de fouiller les velours et les soies dans le profond de leur structure, et sa tendance à valoriser le seul reflet de la lumière à leur extrême superficie, empêchaient que le regard ne pénétrât physiquement le modèle et, ainsi, posaient le principe d'une distance entre celui-ci et son spectateur. Rien de tel chez Largillierre où lumière, couleur et matière trouvent l'harmonie dans une fusion plastique où se résout un être changeant, prochain, assurément éphémère. Il est d'ailleurs singulier que la plupart des portraits princiers de notre artiste soient aujourd'hui identifiés avec quelque réserve, comme si leur dignité essentielle ne trouvait pas à se fixer dans le mouvement perpétuel de la pensée plastique.

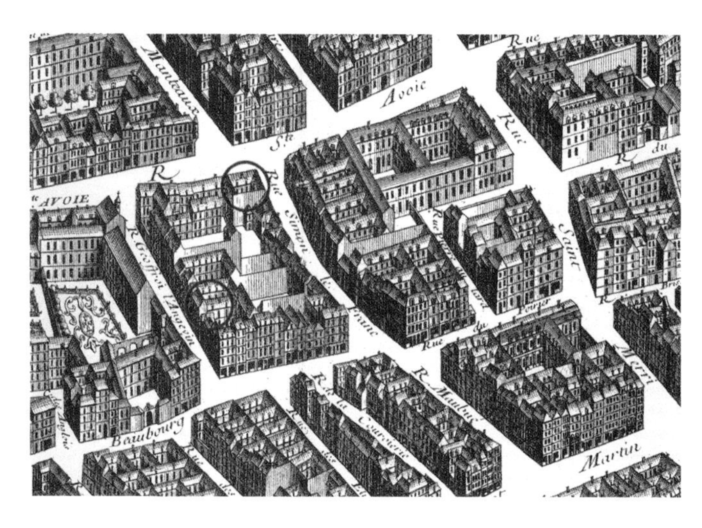

Les deux maisons occupées par Largillierre à Paris, rue Sainte-Avoye et rue Geoffroy-l'Angevin, plan dit de Turgot (détail), Paris, 1739.

Quoi qu'il en soit, dans les années 1680-1690, Largillierre peignit le duc de Chartres, futur régent de France, et sa sœur, Élisabeth-Charlotte d'Orléans (vers 1680-1683), le duc et la duchesse de Bourgogne, le duc de Berry, plusieurs princes issus de la maison de Lorraine, tels que le duc d'Elbeuf, le comte de Brionne, le chevalier d'Harcourt et le comte de Marsan… Après avoir peint Jacques II et la reine Marie de Modène à Londres, il brossa des portraits à la cour d'Angleterre lorsque celle-ci fut installée à Saint-Germain, à partir de 1689 : le jeune prince de Galles, seul (avant 1692), puis avec sa sœur Louise-Marie (1695, Londres, National Portrait Gallery). Les plus grandes familles françaises, la fine fleur du clergé, la diplomatie étrangère de passage, la bourgeoisie la plus puissante, la magistrature

1696

la plus élevée, la finance, les artistes les plus en vue : tout le monde eut à cœur de se voir à travers les yeux de Largillierre. Le goût plus que l'origine sociale déterminait le partage d'une clientèle abondante entre lui, de Troy et Rigaud. Certains n'hésitaient pas, d'ailleurs, à visiter indifféremment l'un ou l'autre, comme le grand Jules Hardouin-Mansart, que l'on voit poser pour Rigaud en 1685, pour Largillierre peu après, et pour de Troy en 1699 ; comme Pierre-Vincent Bertin, trésorier des parties casuelles, « fameux curieux des ouvrages magnifiques », qui se rend tout d'abord chez Rigaud, en 1685, puis chez Largillierre ; comme Maximilien Titon du Tillet, Jean de La Fontaine, le marquis de Blainville, la comtesse de Lignières, le cardinal de Noailles, les Delpech, les Sully, les Keller, etc., qui fréquentent avec un même intérêt l'atelier de la rue Sainte-Avoye ou celui de la place des Victoires.

L'*EX-VOTO* DE 1696

Une catastrophe allait mener Largillierre à l'un de ses plus grands chefs-d'œuvre. Les pluies incessantes de l'été 1692 avaient anéanti tout espoir de récolte cette année-là, provoquant en 1693 et 1694 la plus grande famine que la France ait jamais connue. Durant cette période, le roi perdit environ 1 300 000 de ses sujets (soit près de 6% de la population du royaume). L'année 1694 commença par une sécheresse de trois mois mettant en péril le blé en herbe et laissant présager une aggravation terrible de la situation. Le 27 mai, raconte le marquis de Sourches, « on descendit la châsse de sainte Geneviève, et on la porta, avec toutes les solennités accoutumées, à l'église cathédrale de Notre-Dame de Paris. Il y avoit plus de quinze ans que pareille cérémonie ne s'étoit faite, et jamais elle n'avoit été si nécessaire qu'elle l'étoit alors pour implorer la miséricorde de Dieu, et lui demander la paix et la fertilité de la terre ; car c'étoit une chose pitoyable de voir les villes et surtout celle de Paris inondées d'un déluge de pauvres accourus de tous côtés de la campagne, dont les visages exténués de faim faisoient peur à voir, et dont la plupart étoient étendus sur les fumiers ou sur le pavé dans les rues, criant et mourant de misère. »[66] La procession, dont Sourches décrit avec la plus extrême précision le lourd cérémonial, provoqua le miracle si ardemment désiré : à peine le cortège prit-il fin que la pluie se mit à tomber. Elle ne cessa pas durant une semaine, sauvant les récoltes à venir et le pays tout entier.

Prudents, les échevins attendirent le 10 septembre avant de projeter la commande d'un grand tableau, « monument éternel de leur reconnaissance », destiné non pas à l'Hôtel de Ville, mais à l'église Sainte-Geneviève. Le choix du peintre se porta sur Largillierre, dont on savait qu'il serait le plus habile à mêler solennité et allégresse. Contrat fut passé le 31 mai 1695. Le peintre promit de faire « un tableau de quinze a seize pieds de haulteur en dedans de la bordure sur onze a douze pieds de largeur, representant les officiers du bureau de la ville rendant graces a dieu de ce qu'il luy a plu, bénir et conserver les fruits de la terre par l'intercession de Ste Genevieve patronne de Paris. »[67] Le peintre acheva son œuvre le 1er août 1696 et la réception en eut lieu avec faste, une semaine plus tard, en l'église Sainte-Geneviève : la châsse de la sainte fut à nouveau découverte,

Ex-voto à sainte Geneviève,
Nicolas de Largillierre,
1695-1696,
h/t, ca 5 x 3,5 m.
Paris, Saint-Étienne-du-Mont.

entourée de cierges, et la messe, ouvrage d'André Campra, fut admirée de tous. Dans sa partie supérieure, le tableau montre des cieux incandescents, percés par une clarté divine que contemplent des chérubins. D'autres angelots, agenouillés à droite, assurent une transition entre le monde céleste et celui des mortels. Deux grands anges enfin, « tutélaires de Paris et de la France », font irruption à gauche avec fracas. Très averti des subtilités du dogme, Largillierre – que nous verrons très pieux – a clairement voulu évoquer ici la hiérarchie angélique établie par Denys l'Aréopagite dès le 1er siècle de notre ère : les têtes ailées correspondant aux trois niveaux les plus élevés, ceux des Dominations, des Chérubins et des Séraphins, presque de purs esprits (d'où leur absence de corps) ; les angelots symbolisant les trois niveaux intermédiaires des Principautés, des Pouvoirs et des Trônes (sous la forme de jeunes enfants nus) ; les deux grands anges représentant le niveau le plus proche des hommes, constitué des Anges, des Archanges et des Vertus (corps d'adolescents vêtus, presque humains).

À droite, agenouillée sur les nuées, sainte Geneviève en oraison intercède auprès des puissances en faveur de la ville de Paris. Les nuages alentour, bientôt devenus gris et lourds, rappellent ceux qui, au soir du 27 mai 1694, s'amoncelèrent au-dessus de la cité pour le plus grand bonheur des Parisiens. À gauche, une urne en forme de cassolette, surmontée d'une fleur de lys, fait sans doute allusion au tombeau de Clovis, premier roi chrétien, fondateur de l'église, qui souhaita y être inhumé aux côtés de la reine Clotilde et non loin de Geneviève. L'objet n'est pas sans rappeler, d'ailleurs, les urnes funéraires du cœur de certains rois, telle celle de François Ier sculptée par Pierre Bontemps en 1556, aujourd'hui conservée en la basilique de Saint-Denis et que Largillierre ne pouvait manquer d'avoir vue. Cette évocation de la relation privilégiée qui unissait la monarchie française à sainte Geneviève permettait un double hommage du corps municipal au roi et à la protectrice de Paris.

Ainsi, de la lumière immatérielle de Dieu l'on passait à la représentation de la sainte, de celle-ci à l'emblème du roi, et de ce dernier aux portraits des échevins : agenouillé sur un carreau de velours bleu galonné d'or, Claude Bosc, procureur général de la cour des Aides, prévôt des marchands depuis 1692, désigne d'une main la sainte en prière et, de l'autre, la terre appelée à se nourrir d'une pluie prochaine. À gauche du premier magistrat, une main sur le cœur, Maximilien Titon, garde général du magasin des armes à l'arsenal, procureur du roi et de la ville ; entre lui et le prévôt, en léger retrait, Martin-Jean Mitantier, greffier. À l'arrière-plan, debout près de l'urne, Claude-Nicolas Boucot, receveur, et à l'extrême gauche, regardant le spectateur, Fournier, colonel des trois cents archers, son bâton de commandement à la main. Du côté droit se voient les quatre échevins : Toussaint Bazin et Charles Sainfray, agenouillés aux pieds de Claude Puylon, ancien doyen de la faculté de médecine, et de Louis Bauderau, substitut de Bosc à la cour des Aides ; en retrait, à l'extrême droite, Henry Herlau et Philippe Lévêque, conseillers du roi, anciens échevins. Dans l'ombre, au-dessus des deux magistrats agenouillés, Largillierre se serait représenté, portant perruque, au côté de Jean Santeuil qui, lorsqu'il vit le tableau, s'offusqua de ne pas y avoir été représenté avec le surplis blanc et l'aumusse auxquels il avait droit en tant que chanoine de Saint-Victor.

Seul tableau subsistant des cinq commandes reçues par le peintre du corps municipal, l'*Ex-voto* de 1696 est le plus inspiré de tous les portraits collectifs réalisés sous le règne de Louis XIV et aujourd'hui connus. Largillierre sut ici élever le genre à la hauteur de la grande peinture d'histoire, et le registre supérieur, particulièrement, présente des coups de lumière puissants, des audaces chromatiques et des libertés d'écriture que l'on trouverait à grand peine chez les meilleurs représentants du grand genre de l'époque. Plus incisif que Charles de La Fosse, plus luministe que Jean Jouvenet, plus dynamique qu'Antoine Coypel, Largillierre déploie dans cette œuvre des moyens plastiques inconnus de l'école française, et qui ne sont pas que de simples applications de la rhétorique rubénienne. Le registre inférieur, quant à lui, présente un ballet d'échevins d'une rare élégance, et l'on appréciera notamment, outre la fermeté du dessin des draperies et le beau parti que le peintre a su tirer de la couleur des costumes, l'élégance des poses et la mesure des gestes.

LE TOURNANT DE L'ANNÉE 1699

La réputation de Largillierre était désormais bien établie à Paris. Dès le 13 mai 1697, les échevins avaient commandé un nouveau grand tableau au maître, sur le thème du mariage du jeune duc de Bourgogne (1682-1712) avec Marie-Adélaïde de Savoie (1685-1712), célébré à Versailles le 7 décembre 1697. Destiné aux grandes salles de l'Hôtel de Ville et aujourd'hui perdu, le tableau n'est plus connu que par une très médiocre gravure de François-Denis Née[68] et par une esquisse très rapide, conservée au musée du Louvre (n° 10), pour l'un des côtés de la composition. D'une conception plus traditionnelle que l'*Ex-voto* de 1696, ce grand portrait représentait « les officiers du bureau de la ville qui conjointement avec la France, accompagnée de la paix et de la victoire retrouvent le portraict de la princesse de savoye presenté par mercure, messager des Dieux, avecq labondance et le génie de la France poursuivant les hydres de la paix (*sic*)[69] et autres ornements dependants du sujet. »[70]

Achevé en 1698, le tableau fut exposé au Salon de 1699, où Largillierre paraissait pour la première fois. Institué en 1663, le Salon de l'Académie royale avait pour but de livrer à l'appréciation des amateurs les travaux les plus récents de ses membres fameux. D'une organisation assez lourde et coûteuse, cette exposition, prévue pour être biennale, se tint en fait pour la première fois en 1667, et il semble qu'elle n'eut lieu ensuite, sous le règne de Louis XIV, qu'en 1669, 1671, 1673, 1675, 1681, 1683, 1699, 1704 et 1706.[71] Seuls les livrets des expositions de 1673, 1699 et 1704 nous sont parvenus[72] : ils conservent la liste très précieuse des œuvres qui, à compter du jour de la Saint-Louis, étaient présentées dans le cour du Palais-Royal (1673), puis dans la Grande Galerie du Louvre (1699 et 1704). Outre le tableau destiné à l'Hôtel de Ville, Largillierre présenta encore onze portraits au Salon de 1699 : celui du marquis de Liancourt, de Joseph Roëttiers[73] et de sa femme, de Nicolas Lambert de Thorigny, président en la Chambre des comptes, de sa femme[74] et de leur fils[75], de François de Montbron[76], gouverneur de Cambrai, de Léonor Aubry[77], secrétaire du roi et maître des Comptes, de mademoiselle Isolis, de Charles Renouard de La Toüanne, trésorier général de l'extraordinaire des Guerres, de M. de La Roüe et un saint Pierre.

Ce Salon consacrait le triomphe des partisans de la couleur (les rubénistes) sur les tenants du dessin (les poussinistes) : Le Brun était mort en 1690, Mignard cinq ans plus tard, et les derniers feux du grand classicisme à la française finissaient de se consumer. Quelques commandes encore, à l'adresse des collaborateurs de Le Brun les plus respectueux de ses principes (François Verdier, René-Antoine Houasse, Noël Coypel ou Bon Boullogne), ne suffirent pas à soutenir longtemps l'académisme de stricte obédience. Dès les années 1670, Roger de Piles (1635-1709) avait exprimé de nouvelles aspirations à travers quelques essais demeurés fameux. Ce fut d'abord un *Dialogue sur le coloris* (1673), en faveur de la peinture vénitienne qui en avait découvert les charmes, puis des *Conversations sur la connaissance de la peinture* (1677) et une *Dissertation sur les ouvrages des plus fameux peintres* (1681), à laquelle se trouvait jointe une très éloquente *Vie de Rubens*. Symptomatique avait été le virage opéré, sous l'influence décisive de Roger de Piles, par le duc de Richelieu (1629-1715), petit-neveu du cardinal, au cours de ces mêmes années 1670. Le grand amateur, en effet, s'était dessaisi au profit de Louis XIV de treize tableaux de Poussin qu'il possédait, avant de constituer une collection d'œuvres de Rubens donnant lieu, sous la plume du théoricien de Piles, à un brillant *Cabinet de monseigneur le duc de Richelieu* (1676). Reçu conseiller honoraire de l'Académie en 1699, précisément, de Piles publia encore en 1708 un précieux *Cours de peinture par principes* où il exposa les ressorts de l'esthétique qu'il défendait, prouvant par l'exemple d'une grappe de raisin « la necessité des Grouppes pour la satisfaction des yeux qui étoit la regle du Titien, & qui doit l'être encore aujourd'hui pour ceux qui voudront observer dans leur Tableau cette unité d'objet qui avec les couleurs bien entenduës en fait toute l'harmonie. »[78] À la fin des années 1670, Largillierre n'avait pas manqué lui-même de méditer, le pinceau à la main, sur ce motif où il avait fait jouer à plein – comme il devait le faire toute sa vie – l'interaction heureuse de la lumière, de la couleur et des matières (n° 41). Comme pour porter un dernier coup à la lisibilité de l'esthétique classique, de Piles montrait encore, avec quelques grains épars sur un plan, que « si les objets sont dispersez, l'œil ne sait auquel s'adresser d'abord, non plus que l'oreille au

382 Cours de Peinture
l'éloignement, sans diminuer de forme ni de grandeur.
La seconde fait voir comme on doit traiter un objet particulier, pour lui donner du relief, qui est, d'employer sur le devant les Lumieres les plus vives & les Ombres les plus fortes selon les couleurs qui conviennent à cet objet, en conservant toûjours les reflets sur les tournans du côté de l'ombre.
La troisiéme est pour prouver la necessité des Grouppes pour la satisfaction des yeux qui étoit la grande regle du Titien, & qui doit l'être encore aujourd'hui pour ceux qui voudront observer dans leur Tableau cette unité d'objet qui avec les couleurs bien entenduës en fait toute l'harmonie.
La quatriéme est une Conviction de la necessité d'observer l'unité d'objet, en formant des Grouppes dans la Composition des Tableaux, selon leur grandeur, & le nombre des Figures ; car, comme nous

Cours de peinture par principes, ***Roger de Piles, Paris, 1708.***

discours de plusieurs personnes qui parleroient toutes à la fois. »[79] Nourri dès son enfance de peinture flamande, Largillierre ne pouvait qu'embrasser ces principes.

Les relations d'amitié qu'il entretenait au sein de l'Académie avec les partisans de la couleur allaient d'ailleurs bientôt s'étendre à des liens familiaux : le 14 septembre 1699, en effet, le peintre épousa en l'église Saint-Barthélemy Marguerite-Élisabeth Forest, fille du paysagiste Jean-Baptiste Forest[80] et d'Élisabeth de La Fosse. Cette dernière n'était autre que la sœur de Charles de La Fosse, déjà nommé, l'un des rubénistes les plus engagés, porté depuis le mois d'avril précédent – tout arrive en 1699 ! – à la tête de l'Académie royale de peinture et de sculpture. Largillierre devenait ainsi le neveu par alliance du directeur de l'illustre compagnie. Contrat avait été passé entre les époux, devant notaire, le 19 août.[81] Toujours installé rue Sainte-Avoye, Largillierre apportait pour 6000 livres de « meubles meublans, linges, tapisseries et tableaux servant d'ornemens ausdits meubles et ustanciles de mesnage », pour 8750 livres de « deniers comptans », 1419 livres de « vaisselle d'argent » et 75000 livres de rentes constituées, auprès de l'Hôtel de Ville, sur les Aides et Gabelles et sur les Postes. En annexe du contrat figurait la liste de quelques débiteurs du peintre qui, après lui avoir demandé leur portrait, avaient omis de le payer... On trouvait ainsi, parmi une centaine de noms, le duc et la duchesse de Chartres, la duchesse de Bourgogne, monseigneur de Vintimille, évêque de Marseille, monseigneur de Colbert, archevêque de Toulouse, monseigneur de Noailles, archevêque de Paris, autant d'amateurs distraits, dont les impayés s'élevaient à la somme considérable de 115 462 livres !

Élisabeth-Marguerite de Largillierre, fille de l'artiste,
Nicolas de Largillierre, vers 1726, h/t, 0,475 x 0,385 m. Localisation actuelle inconnue.

Si l'on en croit Dezallier d'Argenville, l'union fut heureuse : « je me souviens que, deux ans avant sa mort, tout paralytique qu'il étoit, il me récita, en présence de sa femme, des vers qu'il avoit fait au sujet de leur mariage. »[82] Le couple donna le jour à trois enfants : Élisabeth-Marguerite, baptisée en l'église Saint-Merry, le 30 janvier 1701, et qui devait épouser Jean-Baptiste Houzé de La Boullaye, commissaire des Guerres, en 1726. Une deuxième fille naquit, Marguerite-Élisabeth, baptisée le 27 mars 1703, également à Saint-Merry. Sans doute mourut-elle en bas âge, car nulle trace n'apparaît plus d'elle par la suite. Ce fut enfin un garçon, Nicolas, baptisé le 21 août 1704 dans la même paroisse. Il devint conseiller au Châtelet, commissaire des Guerres, mais mourut prématurément en 1742.

Toujours en 1699, le 4 juillet, le peintre fut élu adjoint à professeur au sein de l'Académie royale. Il accédait ainsi au premier grade d'une hiérarchie qu'il allait gravir jusqu'à son sommet. Au nombre de huit, les adjoints à professeur étaient élus par l'assemblée des membres de l'Académie et assuraient l'enseignement du dessin en cas d'absence ou de maladie des professeurs. Ceux-ci étaient au nombre de douze, élus et nommés par les officiers de l'institution, qui pouvaient en changer jusqu'à deux au plus par an : chacun servait un mois de l'année, durant lequel il devait se trouver tous les jours « pour faire l'ouverture de l'Académie, poser le modèle, le desseigner ou modeler, afin qu'il serve d'exemple aux estudians ; les corriger et tenir assidus pendant les heures de ces exercices. »[83] L'élection de Largillierre au titre de professeur eut lieu le 30 juin 1705 et il garda cette fonction jusqu'au moment où, sans doute absorbé par des commandes toujours très nombreuses, il souhaita lui-même en être relevé en septembre 1715. De cette période date le bel ensemble d'académies conservé à l'École nationale supérieure des Beaux-Arts (n° 25 à 31).

Au-dessus du corps des douze professeurs siégeaient quatre recteurs perpétuels, choisis et nommés par le roi, officiant par quartier – c'est-à-dire de trois mois en trois mois – et dont le rôle était de présider les séances de l'Académie en l'absence du directeur. Les recteurs étaient « obligéz de se trouver tous les samedis en ladite Académie, pour, conjointement avec le professeur en mois, pourvoir à toutes les affaires d'icelle, vacquer à la correction des étudians, juger de ceux qui auront le mieux fait et mérité quelques récompenses, et se rendre digne par ce moyen des grâces que le Roy leur a faites. »[84] Deux adjoints, élus par l'assemblée, soutenaient les recteurs dans leur tâche. Largillierre occupa cette fonction de recteur durant quelques mois, en 1721, en remplacement d'Antoine Coypel qui était souffrant.[85]

Six conseillers, choisis parfois en dehors du corps académique et élus par les officiers de celui-ci, avaient voix délibérative. Pour assurer sa continuité administrative, l'Académie comprenait encore un chancelier, chargé de « la garde du sceau de l'Académie, pour en séeller les actes et mettre le visa sur les expéditions, lequel Chancelier possédera cette charge pendant sa vie. »[86] Notre peintre fut élevé à cette dignité le 30 mai 1733.[87] La compagnie comptait enfin un secrétaire nommé à vie, un trésorier, remplacé ou reconduit dans ses fonctions tous les trois ans, et deux huissiers chargés du nettoyage et de l'entretien des locaux, de l'ouverture et de la fermeture de portes.

Bien évidemment, le haut de cette hiérarchie était occupé par un directeur, élu pour un an en théorie, mais le plus souvent, et selon le poids de son influence, reconduit plusieurs années de suite dans ses fonctions. En 1734, Largillierre partagea cet honneur suprême avec Guillaume Coustou, Claude-Guy Hallé et Rigaud : quatre têtes pour un directorat par quartier, entre celui de Louis de Boulogne, qui avait officié de 1722 à 1733, et celui de Coustou, directeur de 1735 à 1738.[88] Durant le mandat de ce dernier, Largillierre conserva bien sûr ses fonc-

Jeanne Gagne de Perrigny,
Nicolas de Largillierre,
vers 1715, h/t, 0,813 x 0,648 m.
France, collection particulière.

tions de recteur et de chancelier, puis le 5 juillet 1738, il devint lui-même directeur, charge dont il ne se démit que le 30 juin 1742, en remerciant l'Académie de l'honneur qu'elle lui avait fait de lui confier un poste si prestigieux pendant quatre ans.[89] Le sculpteur René Frémin lui succéda… Mais revenons un peu en arrière.

DES ANNÉES HEUREUSES

Satisfaits des trois grands tableaux qu'il avait peints pour eux, ces Messieurs de la ville sollicitèrent à nouveau Largillierre en 1702. Ils souhaitaient cette fois que le maître les représentât « accompagnez de la justice et de labondance, une tapisserie dans le fond, representant lavenement du duc danjou a la couronne d'Espagne avec toutes les allegories convenant au sujet. »[90] Le roi Charles II d'Espagne étant sans postérité, il avait en effet souhaité par son testament que Philippe, duc d'Anjou (1683-1746), petit-fils de Louis XIV, lui succédât, à la condition qu'il renonçât pour toujours à la couronne de France. Il y avait vu le moyen d'une réconciliation possible entre les deux pays. Après avoir longuement pesé sa décision, le vieux roi français avait accepté et, le 16 novembre 1700, le jeune prince avait été proclamé roi d'Espagne, sous le nom de Philippe V. Louis XIV savait que, quelle qu'ait été sa décision, une guerre était inévitable avec l'empereur Léopold Ier, qui ne pouvait manquer de contester le testament de Charles II au bénéfice de son propre fils cadet, l'archiduc Charles. Et lorsque les échevins de Paris s'en remirent à Largillierre pour célébrer l'avènement du nouveau roi d'Espagne, la France était déjà en guerre depuis de longs mois contre les membres d'une alliance comprenant, entre autres, l'Empire et l'Angleterre. Sans doute par ce sujet, et en dépit des circonstances, le corps municipal avait-il souhaité manifester son soutien à la cause de Louis XIV qui, déjà âgé, s'engageait dans un conflit qui devait être le plus âpre de son règne.

Il ne subsiste malheureusement aucun témoignage précis de ce que fut la composition de ce nouveau tableau : ni description ni esquisse ni estampe. Le musée Carnavalet, en revanche, conserve deux beaux fragments de cette œuvre : un double portrait d'échevins assis, dont celui de droite a été identifié, par comparaison avec son portrait individuel conservé au Louvre (n° 13), à Hugues Desnotz, l'identité du modèle de gauche étant problématique. Le second fragment représente François Boucher d'Orsay, prévôt des marchands, vu en buste, avec derrière lui l'une des allégories évoquées par le contrat de commande.

Le Salon de 1704 allait être celui des portraitistes. Rubénistes de la première heure, ils avaient considérablement gagné en influence. La raison en était qu'ils avaient développé plus tôt que les autres, et plus radicalement, un vocabulaire plastique qui avait eu un peu plus de mal peut-être à s'imposer dans le grand genre. L'harmonie chaude de la couleur, le rendu des effets changeants des étoffes, les contrastes soutenus alentour du visage, tout convenait parfaitement à la représentation d'un modèle dans le cadre de son intimité. La critique étant désormais favorable à cette esthétique, les portraitistes se trouvaient comme naturellement portés au devant de la scène. Et leur ascendant fut tel sur l'art de la fin du règne de Louis XIV et de la Régence que le duc d'Antin, surintendant des Bâtiments du roi, organisa en 1727 un concours propre à réhabiliter une peinture d'histoire quelque peu dominée par les genres dits secondaires : outre le portrait, la scène galante, inventée par Jean-Antoine Watteau (1684-1721), trouvait ses origines thématique et plastique dans la scène de genre flamande, longtemps déconsidérée par le discours académique français. Une réaction se fit donc jour et, lors du Salon de 1725, le *Mercure de France* regretta en des termes très élogieux l'absence des trois grands portraitistes : « Si quelque chose a manqué à la satisfaction du public dans cette exposition, ç'a été de n'y pas voir des ouvrages de Messieurs de Boullongne, de Troye, de Largillière et Rigaud, qui n'ayant plus rien à ajouter à leur réputation, se sont acquis une nouvelle gloire en croyant ne devoir paroître à cette fête que pour rendre justice aux ouvrages des jeunes académiciens, dont la plupart sont leurs élèves. » Mais en 1704, dans la Grande Galerie du Louvre, les trois peintres s'étaient fait une place de choix : de Troy et Rigaud y présentèrent chacun vingt-cinq pièces, Largillierre vingt-deux.

Les années de professorat à l'Académie, entre 1705 et 1715, furent sans doute parmi les plus heureuses que le peintre ait connues : l'abondance des œuvres de cette période et leur extraordinaire qualité témoignent du plus grand enthousiasme. Pour diverses raisons, la maison de la rue Sainte-Avoye était devenue trop petite : la famille du peintre s'était agrandie, ses élèves et sa clientèle se faisaient plus présents. Aussi Largillierre fit-il l'acquisition, le 3 avril 1713, moyennant la somme de 16 000 livres, d'un jeu de paume et de deux petites maisons attenantes, le tout situé rue Geoffroy-l'Angevin, à quelques dizaines de mètres de son domicile.[91] Il engagea des travaux et, rapidement, s'installa dans la maison qui porte aujourd'hui le n° 7 de cette rue : « Nicolas de l'Argilliere, Peintre très excellent & en grande réputation, demeure dans la rue Geoffroy l'Angevin, assez voisine des endroits dont on vient de parler. Il a fait construire depuis peu d'années une maison commodément disposée, où les amateurs de la peinture vont voir ses ouvrages, qui leur donnent une extrême satisfaction. »[92]

Emplie de tableaux, la maison est luxueusement décorée et l'on y trouve des trumeaux de glace, nombreux, pris dans les boiseries, des girandoles, des guéridons de bois sculpté et doré, des consoles à dessus de marbre, des fauteuils couverts de velours cramoisi, des tapisseries, un « clavecin de flandre peint avec des figures de la Chine, sur son pied de bois doré et sculpté », « un trictraque de bois d'ebenne, garny de ses dames et cazes d'yvoir. »[93] Les tableaux sont également nombreux : le peintre a peint lui-même quelques panneaux décoratifs (n° 7) et dessus de porte (n° 61 et 62). « La belle maison qu'il avoit fait bâtir à Paris, étoit ornée de tous côtés des productions de son génie ; sans parler d'un grand nombre de portraits, qu'on fit monter à quinze cens, on y remarquoit plusieurs tableaux de la vie de Jésus-Christ & de celle de la Vierge, sçavoir, l'annonciation, le jardin des Oliviers, l'entrée en Jérusalem, un portement de croix, une élévation de croix, un crucifiement, le moment que Notre-Seigneur expire, appelé *le Consommatum est* ; Notre-Seigneur mis au tombeau, huit têtes d'apôtres, avec plusieurs paysages et des dessus de porte, qui représentent des fleurs et des fruits, mêlés d'instrumens de musique. On y voit une chambre tapissée de grands tableaux, où il a feint des rideaux, un paysage & une balustrade en bas où sont des perroquets, des singes, des chats parmi des fruits et des fleurs. »[94]

Curieusement, la maison de Largillierre contenait donc, outre de nombreux portraits, un assez bel ensemble de natures mortes et de tableaux d'histoire de sa main. Il semble même que le peintre, manifestement très pieux, ait en quelque sorte gardé jalousement des tableaux religieux qu'il concevait pour lui seul. De cela nous voulons pour preuve le fait que les quelques toiles conservées dans ce genre soient presque toutes documentées chez le peintre au lendemain de son décès. Dans une moindre mesure, il en fut de même de la nature morte, et plusieurs de ces compositions décoratives semblent provenir du décor très familier de l'artiste. La grande composition du musée du Louvre (n° 7) n'est pas le moindre exemple de ces fantaisies auxquelles l'artiste se prêtait et qu'il se réservait. La question est bien de savoir pourquoi il ne fit jamais un commerce plus grand de ces pièces de première importance. Pour ce qui est de la nature morte, le nombre en est assez considérable[95] et la production suffisamment constante pour que l'on suppose que Largillierre en peignit à la demande de quelques clients. Sa discrétion en matière de peinture d'histoire, dont Dezallier d'Argenville juge qu'elle était « très maniérée »[96], est plus étrange, car il y a fort à parier que la critique l'eût assez bien reçue : l'*Entrée du Christ dans Jérusalem* (n° 20) soutient bien la comparaison avec les tableaux contemporains d'un La Fosse ou d'un Jouvenet, comme aussi les têtes d'apôtres (n° 15 et 17) ou le *Moïse sauvé des eaux* (n° 23). Il est vrai que Largillierre se souciait moins de narration que de spectaculaires effets plastiques : dessin contourné, coups de lumière violents, couleurs somptueuses, détails inutiles ou anecdotiques... Et si ce sens aigu de l'artifice allait bien à l'encontre de la tradition française, l'artiste avait néanmoins de quoi séduire les amateurs les plus exigeants, ne serait-ce que par l'originalité d'une manière qui était sans précédent en France et qui devait rester sans suite : étrangement contrastée, presque luministe, généreuse en matières, sensible aux inflexions les plus infimes de la couleur, étonnamment audacieuse.

Le baron de Besenval,
Nicolas de Largillierre,
vers 1720, h/t, 1,36 x 1,035 m.
États-Unis, collection particulière.

Non, il faut croire que le peintre conçut une sorte de petit musée personnel, de jardin secret, où il pût mêler l'intensité de son sentiment religieux à ses essais de peinture historique. Chose significative, les sujets mythologiques de sa main sont, dans sa maison (et a fortiori à l'extérieur), de la plus insigne rareté, un peu comme si les métamorphoses de la fable et les amours tumultueuses des dieux antiques eussent indisposé l'homme de foi. Et cependant, si le succès du portraitiste n'avait pas été si grand, si ce genre où il excellait ne l'avait tellement accaparé, à quelles extrémités se fût porté le peintre d'histoire, doué d'une telle cohérence et d'une telle puissance plastiques ? Et ne peut-on penser, justement, que cette puissance plastique investie dans ses portraits était déjà telle, pour des œuvres qui faisaient sa fortune et sa gloire, que Largillierre ne se sentit point le besoin de l'appliquer à des sujets historiques qui l'eussent peut-être exposé à des critiques qui n'en eussent pas compris toute la portée ? Beaucoup perçurent néanmoins cette perfection organique du style que Largillierre semblait cultiver avec une joie très enviable : « Le génie de cet homme rare s'étendoit à tout ; c'est cette supériorité de talens qu'Horace appelle *mens divinior*. En parcourant ainsi toutes les branches de son art, il a fait voir que rien n'est hors de la sphère d'un bon peintre. On trouve dans ses ouvrages un pinceau frais, une touche légère & spirituelle, un génie abondant, un dessein correct, des têtes & des mains admirables, des draperies sçavamment jettées. »[97]

La baronne de Besenval,
Nicolas de Largillierre,
vers 1720, h/t, 1,38 x 1,04 m.
États-Unis, collection particulière.

Une autre question se pose, touchant à la grande rareté des dessins de l'artiste. De Troy et Rigaud ont laissé de quoi remplir quelques beaux cartons, et leur manière, très caractéristique, est aujourd'hui bien connue des amateurs. Ne serait la série d'académies de l'École nationale supérieure des Beaux-Arts, nous ne saurions pratiquement rien de l'œuvre graphique de Largillierre. Dezallier d'Argenville le remarquait déjà et disait ses dessins « peu communs », car « il jettoit tout d'un coup sa pensée sur la toile : ceux que l'on conserve de lui, sont à la pierre noire, relevée de blanc de craie ; quelques-uns à la sanguine, & la plume y est fort rarement employée, excepté dans les croquis ; le feu & l'esprit qui étoient affectés à ce maître, y brillent de toutes parts. Ses études de draperies sont excellentes, & ses mains aux trois crayons, sont belles comme celles de Vandyck. On remarque dans tous ses desseins des têtes négligées, formées par des ovales, ainsi que le pratiquoit le Poussin. »[98] Grand amateur de dessins, Pierre Jean Mariette ne souffle mot de ceux de Largillierre qui, en effet, semblent fort rares. Et cependant, ne peut-on là encore penser que le peintre fit preuve d'une trop grande discrétion ? Les quelques feuilles que nous présentons, des académies aux études de mains, en passant par les croquis de portraits, montrent assez combien l'artiste était rompu à l'exercice et supposent une pratique très assidue du dessin. En outre, l'inventaire de ses biens, dressé en 1746, comprendra « un petit portefeuil remply de petite exquisse », six « portefeuil de desseins », « un paquet de trois volumes d'estampes et desseins ».[99] Certes, l'inventaire ne précise pas si ces feuilles étaient ou non de Largillierre, mais il y a lieu de le penser : une collection de dessins de différents maîtres, à moins qu'ils eussent été d'une grande médiocrité (ce qui est peu probable entre les mains du peintre), eût été regardée avec plus d'attention. Il faut plutôt imaginer que ces portefeuilles contenaient de ces études aujourd'hui si rares et qui, pour représenter des bras, des mains et des petits croquetons de portraits, furent alors jugées de peu d'intérêt. Ces précieux cartons connurent sans doute un sort commun, que nous ignorons : s'ils n'ont pas été détruits dans l'incendie de quelque grenier, il n'est pas impossible que l'on redécouvre un jour, intacte, une grande partie de ce fonds inestimable.

Eût-on choisi, d'ailleurs, pour enseigner le dessin aux jeunes élèves de l'Académie, un artiste qui ne dessinait pas ? Largillierre semble en effet avoir eu la fibre pédagogique. Au-delà de son professorat de dix ans au sein de l'Académie, il prodigua tout au long de sa carrière un enseignement précieux à quelques élèves très attentifs, dont certains firent carrière.[100] Le plus célèbre d'entre eux fut Jean-Baptiste Oudry (1686-1755) qui, avant de se spécialiser dans la peinture animalière qui fit son renom, peignit une bonne centaine de portraits dans l'atelier de son maître, où il entra en 1707. Il en garda le souvenir à travers une sorte d'inventaire dessiné en deux volumes, aujourd'hui conservé au musée du Louvre. Sa dette envers la manière de Largillierre fut immense et nulle œuvre d'Oudry n'échappe à la fraîcheur d'un coloris, à la facilité d'un dessin, à l'aisance d'un pinceau qui ne rappellent le grand portraitiste. Au lendemain de la mort de celui-ci, Oudry lut à l'Académie des « Réflexions sur la manière d'étudier la couleur en comparant les objets les uns avec les autres »[101], où il fit la part belle, très explicitement, aux principes qu'il avait reçus de son maître et qu'il devait tenir, jusqu'à la fin de sa carrière, pour les règles d'or de la peinture.[102] Une dizaine de portraits d'Henri Millot nous sont aujourd'hui connus. Cet artiste, dont nous ne savons pratiquement rien, semble avoir intégré l'entourage de Largillierre dès les années 1690 : excellent technicien, mais peu expressif, il adopta toute la gamme des effets de son maître, avec assez d'aisance parfois pour donner à ses tableaux un tour plaisant. Robert Gence (mort à Bayonne en 1727) est également parmi les premiers élèves documentés du peintre. Autour de 1700-1705, Jacques Van Schuppen (1670-1751) fréquenta l'atelier de la rue Sainte-Avoye. Fils de Pierre-Louis Van Schuppen, déjà cité, Jacques fit une carrière de portraitiste, fut reçu à l'Académie royale en 1704 et, fort de sa formation et de son titre, s'en fut à Vienne où il devint directeur de l'Académie des Beaux-Arts.[103] Autour de 1710-1715 sans doute, Jacques-François Delyen (1684-1761), originaire de Gand, suivit les leçons du maître et devint lui aussi portraitiste, avant d'être reçu membre de l'Académie en 1725.[104] Après un séjour en Allemagne, le suisse Robert Gardelle (1682-1766) vint profiter à Paris de l'enseignement de Largillierre en 1712, puis regagna sa terre natale, où se trouvent aujourd'hui encore quelques portraits honnêtes de sa main. Pierre Goudreaux (1694-1731) n'est pas le moins estimable des élèves de Largillierre[105] : formé semble-t-il entre 1715 et 1720, il quitta Paris pour Mannheim où il produisit, outre des portraits officiels dans la veine de son maître, quelques portraits de fantaisie particulièrement séduisants. Philippe Meusnier, qui s'installa en Angleterre, et un certain Chevalier Descombes, à qui l'on doit le portrait de Largillierre deux ans avant sa mort, comptent encore parmi les élèves de celui-ci.

LE DERNIER ACTE

Tout allait donc bien pour Largillierre qui menait ses affaires avec la plus grande attention et plaçait aussi judicieusement que possible l'argent que lui rapportait sa peinture. Au lendemain de la mort de Louis XIV, il eut néanmoins la faiblesse, comme beaucoup, de spéculer sur le système de papier-monnaie imaginé par le banquier écossais John Law à qui Philippe d'Orléans, régent de France, avait confié dès 1716 le projet de renflouement du Trésor. L'agiotage suscité par cette entreprise fit que, bientôt, la masse monétaire en circulation ne fut plus compensable : la confiance se perdit, le papier acheté fort cher se vendit pour rien et, en 1720, tout le système s'effondra. Des émeutes s'ensuivirent et Law dut fuir le royaume… Sans doute Largillierre fréquenta-t-il un peu trop la célèbre rue Quincampoix, si proche de son domicile, peut-être même signa-t-il quelque billet sur le dos du fameux bossu, toujours est-il que la Régence lui arracha quelques plumes. Mariette rapporte que « Le sistème endommagea fort sa fortune » et qu'il « eut cela de commun avec Rigaud. »[106] Et en 1731, tandis qu'il défendait la hauteur de ses prix auprès du marquis de Gueidan, le peintre évoquait encore le souvenir cuisant de cet épisode : « La providence m'a enlevé le fruit de presque soixante ans de travail, il faut se soumettre a sa loy. L'estat de mes affaires, le peu de jours que j'ay à vivre, me force Monsieur à soutenir les conditions dont Monsieur le Comendeur de Simiane vous avait instruit. »[107]

Aussi le peintre vit-il sans doute avec quelque soulagement les échevins pousser à nouveau sa porte, en 1722, pour lui commander un ultime portrait collectif du corps municipal. Le prétexte en était cette fois le mariage prochain du jeune Louis XV – il n'avait que douze ans – avec sa cousine Marie-Anne-Victoire de Bourbon, infante d'Espagne, fille de Philippe V. Le principe de cette union avait été arrêté le 21 novembre 1721 et la petite princesse arriva en France dès le mois de janvier de l'année suivante. Le 11 août, les échevins passaient commande à Largillierre : « Ce tableau représentera le roi sur son trône, le duc d'Orléans, soutien du trône guidé par Minerve, tenant le portrait de l'Infante, de même que MM. le prévôt, les échevins, le procureur du roi, le greffier et le receveur de la Ville aux pieds de sa majesté. »[108] Perdu comme les autres tableaux de l'Hôtel de Ville, cette œuvre est aujourd'hui connue par la très belle esquisse qu'en conserve le musée Carnavalet (n° 12), parfaitement conforme dans son iconographie aux termes de la commande. Le tableau semble bien avoir été réalisé mais, s'il gagna jamais les grandes salles de la maison de ville, il dut en être retiré bien vite : dès le 17 mai 1725, les fiançailles ayant été rompues, l'infante quittait la France et, le 5 septembre suivant, Louis XV épousait Marie Leczinska.

En dépit de son âge déjà avancé, Largillierre montrait des qualités toujours nouvelles qui continuaient de lui attirer l'estime des amateurs. Jamais en effet il ne cessa de faire évoluer son art : des couleurs vives et saturées des années 1690 à 1715, il passa à une gamme beaucoup plus douce et harmonieuse au tournant des années 1720. De même son dessin se fit plus souple, son pinceau plus enveloppant. Ce n'est pas que le peintre essayait de se mettre au goût du jour. Non, il *était* ce goût, auquel il donnait l'impulsion plus souvent qu'il n'y paraît : les paysages étranges, sombres et mélancoliques, dont il tapissait l'arrière-plan de ses portraits, devancèrent ceux de Watteau dès les années 1690, comme le velouté très pictural de ses pêches fut un modèle pour Chardin. Son coloris se fana quelque peu dans les années 1730 : Largillierre se mit à accorder des bleus très tendres avec des bruns chaleureux, le tout relevé par l'accent vif, mais limité, de quelques accessoires, fleurs ou bijoux. Dezallier d'Argenville jugea peut-être un peu sévèrement les œuvres tardives du maître : « Ce grand peintre étoit de ces artistes qui ont des droits sur les éloges de la postérité ; on auroit souhaité qu'il eût cessé de travailler dans les dix dernieres années de sa vie. Les beaux arts, ainsi que les amours n'ont qu'une saison. Il étoit apparemment sourd à cette voix intérieure qui se faisoit entendre à un ancien poëte, & qui l'avertissoit de se reposer à propos, lorsqu'affoibli par l'âge, il auroit pu produire des ouvrages qui auroient déparé les premiers. »[109] Mais l'historien se rendait-il seulement compte que cette volonté opiniâtre de vivre en peinture se confondait justement, chez Largillierre, avec le souffle vital qui porte chacun ?

La marquise de La Tour Maubourg et ses deux filles, ***Nicolas de Largillierre, 1726, h/t, 1,38 x 1,06 m. Château de Parentignat (Puy-de-Dôme), collection du marquis de Lastic.***

Le dernier portrait signé et daté qui nous soit parvenu du peintre est celui de Philippe Néricault-Destouches, conservé au musée de Bourg-en-Bresse. Peint en 1741 – Largillierre avait alors 85 ans ! –, ce tableau est incontestablement l'un de ses meilleurs ouvrages : bedonnant, grisonnant, souriant discrètement mais avec ironie, l'homme de lettres apparaît lui aussi fatigué par le jeu futile des apparences et affiche, de connivence avec son peintre, le négligé le plus brillant qui soit. Une sorte d'ultime pirouette pour montrer que l'on avait pu le faire, que l'on pouvait encore le faire, mais que le cœur n'y était plus.

Le 30 juin 1742, Largillierre démissionna de sa fonction de directeur de l'Académie. Le 29 décembre suivant, il vit mourir son unique fils dont il vendit, le 13 novembre 1743, l'office de conseiller du roi au Châtelet et siège présidial de Paris.[110] Frappé de paralysie cette année-là, il posa à jamais les pinceaux et s'éteignit le 20 mars 1746 dans sa belle maison de la rue Geoffroy-l'Angevin. Il fut inhumé le lendemain en l'église Saint-Merry, sa paroisse, en présence de Jacques de Faverolles, écuyer, conseiller du roi, contrôleur des payeurs des gages de la

Chambre des comptes de Paris, son gendre,[111] et de Louis Dufour, son beau-frère. Le 26 mars, à la requête de Marguerite-Élisabeth de Largillierre, sa chère épouse, il fut procédé à l'inventaire des biens de l'artiste.[112] Oudry fut commis à la prisée des tableaux trouvés chez son maître : l'ensemble était essentiellement constitué d'œuvres de la main de celui-ci. Un tableau à sujet animalier donné à Rembrandt, un Teniers, deux « meskers » (?), un Goubau et un paysage de Forest, peut-être quelques autres tableaux restés dans l'anonymat, composaient ce qui ne peut être tenu pour une collection. Les œuvres de Largillierre comprenaient une cinquantaine de portraits, plus de trente tableaux religieux, une dizaine de sujets mythologiques, autant de natures mortes (certaines en dessus de porte), une quinzaine de paysages, cinq ou six tableaux animaliers et nombre de toiles dont le sujet ne fut pas précisé par Oudry. Le plus inattendu dans cet ensemble, outre les tableaux religieux dont nous avons déjà parlé, consistait en cent quarante esquisses de portraits peintes à l'huile, où devaient se trouver surtout, sous cette appellation générique, quelques *modelli* et quantité de ces *ricordi* que l'on connaît aujourd'hui encore très nombreux.

Marguerite-Élisabeth survécut à l'artiste quelques années et mourut à son tour, rue Geoffroy-l'Angevin, le 8 décembre 1756.

« Largilliere descend dans l'ombre du tombeau,
Cher Titon ; tu verses des larmes :
Apollon, comme toi, dans de vives allarmes,
Gémit sur le double côteau.

En proie à sa douleur funebre,
Ce Dieu se retraçant tant d'ouvrages parfaits,
Veut que le chevalet de ce peintre célebre
Soit son pupitre désormais.

De son côté Vénus enrichit sa toilette
Du coloris brillant que produit sa palette.

Et l'Amour, qui puisa dans ses rians tableaux,
Le goût, le naturel, la douceur, la décence ;
Pour soûmettre à coup sûr les cœurs à sa puissance,
Fait des flèches de ses pinceaux. »[113]

1. La date de naissance de Nicolas de Largillierre n'est pas connue avec précision : l'acte de son baptême, le 10 octobre 1656, autorise à penser que l'enfant dut naître soit le même jour – ce qui est vraisemblable, le document (retranscrit par Jal, 1872, p. 738) ne contenant pas la mention usuelle « né d'hier » ou « le tant du présent mois » – soit en effet, en dépit de l'absence de cette mention qui aurait pu être omise, la veille ou quelques jours auparavant. Il est à noter que plusieurs sources anciennes, invérifiables (voir Jal, *ibid.*), situent la date de cette naissance le 2 octobre 1656.

2. Dezallier d'Argenville, 1762, p. 294.

3. Cette crue, supérieure à celle de 1910, est la plus importante que Paris ait jamais connue.

4. Dezallier d'Argenville, 1762, p. 294.

5. *Id.*, p. 294.

6. Rombouts et Van Lerius, 1961, t. II, p. 386, 389.

7. Dezallier d'Argenville, 1762, p. 295.

8. Le lecteur trouvera ce tableau reproduit dans Brême, 1998, p. 9.

9. Dezallier d'Argenville, 1762, p. 295.

10. Rombouts et Van Lerius, 1961, t. II, p. 429, 434.

11. Durant son séjour à Paris, en 1640-1642, Nicolas Poussin avait considérablement marqué les esprits par la clarté et l'équilibre de ses compositions. La création de l'Académie royale de peinture et de sculpture, en 1648, peut être considérée comme un autre signe de l'émergence du classicisme français au milieu du siècle.

12. *Deux grappes de raisin*, signé et daté 1677, Paris, Institut néerlandais, fondation Custodia ; *Vase de fleurs*, signé et daté 1677, Grande-Bretagne, collection particulière ; *Vanité*, signé et daté 1677, Heino (Pays-Bas), Stichting Hannema-de Stuers Fundatie ; *Nature morte au vase de fleurs, au paon et aux perdrix*, signé et daté 1678, Chatsworth, the Duke of Devonshire Collection.

13. Dezallier d'Argenville, 1762, p. 295.

14. Houbraken, 1718-1721, p. 291.

15. Vertue, T. III (*Walpole Society*, vol. 22, 1933-34), p. 37.

16. Vertue, *ibid.*, prétend qu'il quittèrent l'Angleterre ensemble.

17. Dezallier d'Argenville, 1762, p. 295-296.

18. Hope, 1913, T. I, p. 315 ; Blunt, 1973, p. 394.

19. Bien que Dezallier d'Argenville semble s'inspirer directement de la biographie que le père Pellegrino-Antonio Orlandi avait lui-même rédigée dès 1719 (*Abecedario pittorico*, Bologne, 1719, p. 331-332), il apparaît que Largillierre en amenda lui-même le contenu pour le grand amateur français, comme celui-ci s'en explique d'ailleurs au début de sa notice : « Cette vie a cela de singulier ; c'est Largilliere lui-même qui en a dicté les mémoires deux ans avant sa mort. » (Dezallier d'Argenville, 1762, p. 294).

20. Dezallier d'Argenville, 1762, p. 296.

21. Texte du *Privy Council Register* cité par Croft-Murray, 1962, p. 55.

22. Croft-Murray, 1962, p. 55.

23. 1981, Montréal, p. 30.

24. Dezallier d'Argenville, 1762, p. 296.

25. Huile sur toile, 2,12 x 1,21 m, Brunswick, Herzog Anton Ulrich Museum (inv. n° 520).

26. Dezallier d'Argenville, 1762, p. 296.

27. Connu par l'estampe à la manière noire qu'en donna Isaac Beckett.
28. Connu par l'estampe qu'en donna Pierre-Louis Van Schuppen en 1687.
29. Gravé par le modèle en 1689.
30. Huile sur toile, 0,724 x 0,597 m, San Francisco, Palace of the Legion of Honor (inv. 1961. 23).
31. Brême, 1997c.
32. Dezallier d'Argenville, 1762, p. 296.
33. *Id.*, p. 296.
34. Montaiglon, 1875-1892, t. II, p. 242.
35. *Id.*, p. 270.
36. *Id.*, p. 291.
37. Il revient à Georges de Lastic d'avoir émis en 1977 cette audacieuse hypothèse, que le style du portrait de Florence confirme pleinement, tant par son indéniable parenté avec la technique de Largillierre qu'avec son peu de rapport avec la manière de Le Brun. L'argument avancé par Lastic à propos de l'estampe présentée par Gérard Edelinck à l'Académie, dès le 6 mars 1684, confirme d'ailleurs l'évidente supercherie orchestrée par Le Brun aux dépens du Grand-Duc de Toscane. Exécutée d'après la version en buste de Florence, cette planche porte en effet comme un aveu la lettre peu ambiguë « N. de Largillierre pinxit » (voir Lastic, 1979c).
38. Montaiglon, 1875-1892, t. II, p. 322.
39. Cette esquisse (huile sur toile, 0,93 x 1,40 m) est aujourd'hui conservée au musée national du château de Versailles, inv 2946.
40. Huile sur toile, 2,35 x 1,88 m, Paris, musée du Louvre (inv. 6653).
41. Dezallier d'Argenville, 1762, p. 297.
42. Jal, 1872, p. 701.
43. Vertue, T. IV (*Walpole Society*, vol. 24, 1935-36), p. 110, 120-121.
44. Rosenfeld, 1981, p. 31.
45. Huile sur toile, 0,762 x 0,641 m, Londres, National Maritime Museum.
46. Son mandat pouvait ainsi durer deux, quatre, six ou huit ans.
47. Ce qui revient à dire qu'un tableau où se voient les quatre échevins « correspond à un regroupement ayant duré un an au plus, comprenant la seconde année des deux échevins sortants et la première année des deux autres » (Brême, 1997c, p. 65).
48. Brême, 1997c, p. 66-67, 110-111, repr. p. 111.
49. *Id.*, p. 67-69, 152-154, repr. p. 68, 152 et 153.
50. *Id.*, p. 69-71.
51. *Id.*, p. 71-75, repr. p. 72.
52. *Id.*, p. 77.
53. Dezallier d'Argenville, 1762, p. 298.
54. Dangeau, t. I, 1854, p. 417.
55. Dangeau, t. II, 1854, p. 15.
56. Délibération du 8 juillet 1687 (Archives nationales, K 1002, n° 23), cité par Lastic, 1976, p. 148.
57. Lastic, 1976.
58. Ironie de l'histoire, l'inauguration de cette statue de Louis XIV eut lieu le 14 juillet 1689…
59. Cité par Lastic, 1976, p. 147.

60. Contrat du 1er avril 1689 (Archives nationales, K 1022, n° 35), cité par Lastic, 1976, p. 148-149.
61. Il mesurait environ 3,40 x 5m.
62. À la différence du *modello*, projet définitif présenté au commanditaire avant la réalisation de l'œuvre en grand, le *ricordo* est exécuté d'après celle-ci achevée, soit à l'usage du peintre qui souhaite en conserver une image aussi précise que possible, soit à la demande de quelque amateur concerné par le tableau. Il convient de ne pas confondre l'esquisse peinte, travail de recherche traité rapidement, avec le *modello* et le *ricordo*, œuvres à vocation documentaire exécutées avec une réelle application.
63. Huile sur toile, 0,68 x 1,01 m.
64. Archives nationales, Y 3583, 17 avril 1700.
65. Dezallier d'Argenville, 1762, p. 298.
66. Cosnac et Pontal, 1885, p. 332-333.
67. Archives nationales, K 1002, 31 mai 1695.
68. Reproduite dans le *Voyage pittoresque de la France*, t. I, 1784.
69. Il faut évidemment lire « de la guerre ».
70. Archives nationales, K 1002, 13 mai 1697. Le tableau mesurait environ 3,50 x 5 m.
71. Une seule journée en 1706.
72. Mais y en eut-il pour les autres années ?
73. Disparu, mais connu par la gravure de Cornelis Vermeulen.
74. Tous deux gravés par Pierre Drevet.
75. Nicolas Lambert de Vermont, aujourd'hui conservé à la Norton Simon Foundation de Pasadena.
76. Collection particulière ; connu par une photographie ancienne.
77. France, collection particulière.
78. Piles, 1708, p. 382.
79. *Id.*, p. 383.
80. Vers 1700-1704, Largillierre brossa le portrait de son beau-père, tableau d'une rare puissance expressive aujourd'hui conservé au musée des Beaux-Arts de Lille.
81. Archives nationales, Minutier central, X 51, 19 août 1699.
82. Dezallier d'Argenville, 1762, p. 302.
83. Montaiglon, 1875-1892, t. I, p. 253.
84. *Id.*, p. 252.
85. *Id.*, t. IV, p. 324-325.
86. *Id.*, p. 254.
87. *Id.*, t. V, p. 120.
88. *Id.*, p. 139.
89. *Id.*, p. 322.
90. Archives nationales, K 1002, 14 septembre 1702.
91. Archives nationales, Minutier central, XIV 209, 3 avril 1713.
92. Brice, 1725, t. II, p. 70.
93. Archives nationales, Minutier central, XIV 329, 26 mars 1746.
94. Dezallier d'Argenville, 1762, p. 301-302.
95. Une cinquantaine de pièces documentées.
96. Dezallier d'Argenville, 1762, p. 301.

97. *Id.*, p. 299.
98. *Id.*, p. 203.
99. Archives nationales, Minutier central, XIV 329, 26 mars 1746, f° 25v et 26r.
100. Voir Brême, 1997b, 49-52.
101. Oudry, 1844.
102. Sur Oudry, voir le catalogue de l'exposition qui lui fut consacrée, à Paris, en 1982-1983.
103. Sur Van Schuppen, voir Schreider, 1982.
104. Sur Delyen, voir Huard, 1928, et Wallens, 1996.
105. Sur Goudreaux, voir Dimier, 1928-1930, t. II, p. 327-333.
106. Mariette, 1854-1856, p. 62.
107. Lettre de Largillierre à Gaspard de Gueidan, 14 janvier 1731, France, collection particulière.
108. Archives nationales, K 1004, 11 août 1722.
109. Dezallier d'Argenville, 1762, p. 302.
110. Archives nationales, Minutier central, XXIX 462, 13 novembre 1743.
111. Devenue veuve en 1733, de Jean-Baptiste Houzé de La Boullaye, Élisabeth-Marguerite de Largillierre s'était remariée avec Jacques de Faverolles.
112. Archives nationales, Minutier central, XIV 329, 26 mars 1746.
113. Paul Desforges-Maillard, *Œuvres en vers et en prose*, Paris, 1759, p. 329. Nous remercions monsieur Jean Aubert de nous avoir signalé cette petite pièce en vers libres dédiée par son auteur à Évrard Titon du Tillet.

N°1 Autoportrait

Il revenait à Largillierre d'ouvrir lui-même cette exposition : âgé de 55 ans, dans une belle robe d'intérieur de couleur rouille, les cheveux noués d'un élégant ruban bleu, le peintre nous invite à le suivre dans sa quête. Soutenant avec insistance le regard du spectateur, le peintre tient d'une main un porte-mines chargé d'une pointe de sanguine et d'un éclat de craie blanche ; un épais carton à dessins, fatigué, résiste à grand peine à la pression de la multitude de feuilles qui cherchent à s'en échapper et que le peintre retient avec grâce, du bout d'un doigt. De l'autre main, s'enfonçant dans la profondeur de l'espace, Largillierre désigne une toile sur un chevalet : une Annonciation y est esquissée, par laquelle il semble revendiquer le statut de peintre d'histoire, à moins qu'il ne fasse qu'y exprimer sa foi. Étrange paradoxe, qui conduit l'artiste à se construire une identité autour de ce que nous connaissons le moins de lui : ses dessins et ses sujets historiques. Ce tableau fut semble-t-il réalisé pour l'amateur Louis d'Assenay qui, cette même année 1711, reçut en présent un très bel autoportrait de Rigaud (Musée national du château de Versailles). D'Assenay se fit un devoir de les faire graver tous deux (par Chéreau et Drevet), ce à quoi Largillierre répliqua très vite par un spectaculaire portrait du collectionneur, où se voient les deux estampes…

• **Historique :** *très vraisemblablement commandé à Largillierre par Louis d'Assenay en 1711 ; collection Jean de Jullienne ; légué par lui à l'Académie royale de peinture et de sculpture en 1766 ; entré à l'Académie royale le 6 mai 1768 ; saisie révolutionnaire en 1793 ; à Versailles en 1798.* • **Expositions :** *1928, Paris, p. 18, n° 8 (1re éd.), p. 21, n° 9 (2e éd.) ; 1958, Londres, p. 103, n° 236 ; 1958, Paris, n° 66, pl. 44 ; 1960-1961, Washington, Toledo, New York, p. 72, n° 133 ; 1962-1963, Chicago, Toledo, Los Angeles, San Francisco, n° 60 ; 1968, Lille, p. 56, n° 80 ; 1981, Montréal, p. 46-49, n° 1, repr. p. 46 ; 1982-1983, Dijon, p. 179, n° 74 ; 1988, Paris, p. 115, n° 153.* • **Bibliographie :** *Gavard, 1838, pl. 2535 ; Soulié, 1880-1881, t. III, p. 201, n° 3681 ; Montaiglon, 1875-1892, t. VII, p. 324, 327-328, 395 ; Bellier de La Chavignerie et Auvray, 1882-1886, t. I, p. 911 ; Jouin, 1888, p. 106 ; Montaiglon, 1893, p. 141 ; Nolhac et Pératé, 1896, p. 223 ; Lane et Browne, 1906, p. 833 ; Fontaine, 1910, p. 70, 122, 178, n° 383/77 ; Brière, 1911, p. 383, n° 68 ; Gronkowski, 1928, p. 323-324 ; Pascal, 1928a, p. 55, n° 4 ; 1977, Florence, p. 45 ; Lastic, 1979b, p. 21 ; Fermigier, 1981, p. 7 ; Lastic, 1983a, p. 37 ; Cantarel-Besson, 1992, p. 247, 256 ; Constans, 1995, t. I, p. 526, n° 2980, repr. ; Bajou, 1998, p. 316-317, repr. p. 317 ; Brême, 1998, repr. p. 5, fig. 1.* • **Œuvres en rapport :** *le New Orleans Museum of Art conserve une autre version autographe de ce portrait (huile sur toile, 0,81 x 0,65 m), signée et datée comme le tableau de Versailles. Nombreuses autres versions connues, œuvres d'atelier ou copies, de qualité variable (Lausanne, musée cantonal des Beaux-Arts).* • **Gravé par :** *François Chéreau en 1715.*

1711
H/t, 0,80 x 0,65 m
Signé et daté sur le carton à dessins, en bas à droite :
« Nicolaus de Largillierre seipsum pinxit aet. Suae 55 Ann. dom 1711 »
Versailles, Musée national du château (MV 3681)

N° 2 *Inconnue en Diane*

Lorsque fut dressé, le 20 mars 1746, l'inventaire après décès de Largillierre (voir p. 56), Oudry répertoria dans la belle maison de la rue Geoffroy-l'Angevin quelque 135 « petits tableaux » ou tableaux en « esquisse », dont il bien est difficile à présent de savoir à quoi ils correspondaient vraiment. L'extrême rareté des esquisses à l'huile de l'artiste et, à l'inverse, le grand nombre de *ricordi* aujourd'hui connus (voir p. 62, note 62), incitent à penser que l'atelier de Largillierre contenait surtout des réductions assez soignées des tableaux qu'il avait peints et dont il voulait garder le souvenir (plusieurs exemples au musée Condé à Chantilly et au musée Boucher-de-Perthes à Abbeville). Cette esquisse très libre d'une *Inconnue en Diane* en est d'autant plus précieuse : elle permet en effet de préciser un peu le mode de travail de l'artiste qui, si l'on en croit Dezallier d'Argenville (1762, p. 299), « jettoit sa pensée sur la toile sans faire aucune étude ; la seule imitation des têtes et des mains en étoit exceptée. » Le témoignage du biographe trouve enfin ses limites, qui, soucieux de vanter les fulgurances du peintre, entend réduire autant qu'il est possible, pour ne pas dire ignorer, un travail préliminaire dont Largillierre ne pouvait néanmoins faire l'économie. D'une nature picturale expansive, le peintre concentre ici les énergies premières de ses futurs exploits : il choisit pour ce faire un format aussi réduit que possible, capte des rythmes et les accroche à quelques masses d'ombre, quelques accents de lumière, quelques valeurs d'un coloris changeant. Privilégiant la cohérence plastique de l'œuvre à toute préoccupation d'ordre iconographique (l'amour qui tire une flèche du carquois de la déesse et celui qui lace ses sandales sont, comme l'évocation des chiens, de pure convention), il laisse son pinceau répondre à la sollicitation de formes flottantes où se dessine peu à peu l'hypothèse d'un portrait. L'esquisse apparaît alors comme une véritable recherche – presque comme une rencontre –, et non comme la mise en forme rapide d'une idée qui préexisterait à l'œuvre. Elle est une prise d'élan et non l'objectivation d'une vision intérieure. Son report terme à terme sur une toile de plus grand format, destinée à la réalisation du projet, était dès lors inutile et il pouvait bien sembler à Dezallier d'Argenville que Largillierre peignait « sans faire aucune étude ». Fausse naïveté du grand amateur, qui sait ce que le génie coûte de besogne opiniâtre !

• HISTORIQUE : *peut-être vente Rouillard, Paris, hôtel Drouot, 22-24 mars 1880, n° 61 (attribué à Largillierre)* • EXPOSITIONS : *jamais exposé.* • BIBLIOGRAPHIE : *Lastic, 1983c, p. 76, 82, note 29, repr. p. 79, fig. 9.* • ŒUVRES EN RAPPORT : *ce tableau semble préparer le portrait d'une femme inconnue en Diane peint vers 1695 et qui se trouvait autrefois dans la collection du baron Van Hoebroek à Bruxelles (vente, Paris, hôtel Drouot, 18 mars 1881, n° 10 ; vente, Paris, hôtel Drouot, 13 mai 1907, n° 32 ; en 1912 à la galerie Heinemann à Munich).*

Vers 1695
H/papier marouflé sur toile, 0,227 x 0,172 m
France, collection particulière

N°3 Le comte de Magalotti

Ce ravissant portrait est un exemple très caractéristique de réduction faite d'après un original de plus grande dimension. Contrairement au tableau précédent, il ne s'agit donc pas d'une esquisse mais, plus justement, d'un *ricordo*, exécuté soit pour être conservé dans l'atelier du peintre et servir de modèle à d'éventuelles copies, soit à la demande de quelque amateur de ces petits formats précieux que l'on nommait alors « portraits en petit » ou, conformément à l'évolution du goût qui marqua la fin du règne de Louis XIV, « portraits à la flamande ». Loin d'être considéré comme une activité secondaire, ce travail de réduction, qui obligeait le peintre à faire preuve de la plus grande habileté, était particulièrement prisé, et l'on vit, par exemple, Rigaud peindre le portrait du généalogiste Charles d'Hozier, en 1686, moyennant la somme de 100 livres (sans doute pour une composition en buste grandeur nature), et en 1691, un « portrait en petit » du même modèle pour le prix considérable de 300 livres (l'équivalent, à ce moment-là, d'un portrait cadré « aux genoux », de grandeur naturelle).

L'exceptionnelle qualité de l'œuvre présentée ici ne laisse aucun doute sur son caractère autographe et justifie pleinement l'enthousiasme des amateurs de l'époque. Largillierre y met autant de science que dans une œuvre de plus grand format, et l'échelle réduite du tableau n'en valorise que mieux la subtilité des effets plastiques : la variété des matières et la nuance du coloris retiennent particulièrement l'attention. Le modelé crayeux du visage, illuminé par les beaux yeux bleus du modèle, prolonge avec bonheur la blancheur de son abondante chevelure. Bardo di Bardi (1630-1705), comte de Magalotti, était issu d'une famille florentine alliée aux Médicis. Sa carrière en France avait commencé à l'âge de onze ans comme page du cardinal de Richelieu, puis il avait intégré les armées du roi. Enseigne aux Gardes (1646), capitaine (1654), brigadier (1670), il leva en 1671 le régiment Royal-Italien, dont il fut colonel jusqu'à sa mort. Gouverneur de Valenciennes en 1677, il s'y retira en 1681. « Le roi – dit Saint-Simon – avoit pour lui de la bonté et de la distinction (...). C'étoit un homme délicieux et magnifique, aimé et considéré, et qui avoit été toute sa vie dans les meilleures compagnies des armées où il avoit servi (...) ; dans sa vieillesse le plus beau visage du monde, et le plus vermeil, avec des yeux italiens vifs, et les plus beaux cheveux blancs du monde. »

• **Historique :** *vente, Paris, palais d'Orsay, 15 juin 1979, n° 29, repr. (atelier de Largillierre) ; acquis lors de cette vente par l'actuel propriétaire.* • **Expositions :** *jamais exposé.* • **Bibliographie :** *inédit.* • **Œuvres en rapport :** *la version autographe en grand de ce portrait (huile sur toile, 0,82 x 0,66 m) est aujourd'hui conservée au Muzeum Naradowe de Varsovie ; d'autres versions, de qualité très variable, sont également connues* • **Gravé par :** *Cornelis Vermeulen en 1693.*

Vers 1692-1693
H/t, 0,41 x 0,325 m
France, collection particulière

N°4 Mains

D'une étonnante poésie, ce tableau est assurément l'un des chefs-d'œuvre de l'artiste. Il ne s'agit pas, comme on pourrait le croire, d'une série d'études destinées à la préparation de portraits mais, à l'inverse, de détails empruntés à différentes œuvres exécutées par Largillierre dans les années 1713-1714 et dont il souhaita garder le souvenir (voir 1997-1998, Nantes, Toulouse, p. 152-153 et 216). Cela lui permettait de conserver en grandeur naturelle le dessin, le coloris et le modelé de ces mains, si précieuses à l'expression de son art. Il pouvait ainsi réutiliser des archétypes qu'il jugeait particulièrement satisfaisants, ou proposer à ses élèves de les étudier pour y apprendre les subtilités du genre. Mais le peintre pouvait surtout garder pour lui ce bouquet de mains, admirablement composé, afin d'en goûter infiniment la grâce. Il faut croire en effet que ce tableau fut d'abord et avant tout conçu pour le plaisir des yeux, comme une sorte de prolongement onirique à l'art du portraitiste. Le soin particulier que mit Largillierre à disposer les éléments de sa composition justifie cette simple hypothèse : faisant émerger toutes ses études d'un fond sombre commun, chacune trouve néanmoins son propre espace dans la clarté de ses carnations, délicatement nuancées. Le peintre atteint au parfait équilibre entre l'effet d'ensemble qu'il propose et l'attention soutenue qu'il nous invite à porter à chacune de ces mains. Jouant de tous les effets, il se montre tour à tour précis ou allusif, chargeant ici en matière, brossant là en transparence, animant enfin l'harmonie chaude de son œuvre de teintes inattendues : le bleu pâle d'une étoffe, le vert amande de quelques feuilles, et pour cœur animant cet apparent désordre, un œillet écarlate. Que l'on compare la cohérence plastique de cette œuvre aux études que fit Rigaud sur un semblable motif (Rouen, musée des Beaux-Arts ; Montpellier, musée Fabre) : quelle que soit l'acuité de son regard, et pour habile que soit son pinceau, le Catalan se perd dans le détail des objets et juxtapose, sans la moindre préoccupation poétique, des éléments que Largillierre, lui, se refusait à affranchir d'un ordre esthétique qui leur fût supérieur.

• **Historique :** *Paris, galerie Cailleux en 1928 ; acquis par le musée des Beaux-Arts d'Alger en 1950 ; déposé au musée du Louvre en 1970.* • **Expositions :** *1928, Paris, p. 28, n° 65, repr. pl. XV (1re éd.), p. 32, n° 71, repr. pl. XV (2e éd.) ; 1934, Paris, n° 336 ; 1935, Copenhague, n° 119 ; 1942, Paris, n° 12 ; 1958, Londres, p. 105, n° 242 ; 1958, Paris, n° 60 ; 1990, Paris, Francfort, p. 177, 297, n° 204, repr. p. 177, fig. 360; 1997-1998, Nantes, Toulouse, p. 216, n° 37, repr. p. 152.* • **Bibliographie :** *Gronkowski, 1928, p. 335-336, repr. p. 335 ; Cayeux, 1951, p. 35, 42-56, note 4, repr. p. 43, fig. 3 ; Lauts, 1971, fig. 19 ; Clay, 1980, repr. p. 257 ; 1981, Montréal, p. 196-197, 201, 206, 216, 219, 261, 279, 290, 294 ; Lastic, 1983a, p. 38 ; Rosenfeld, 1984, p. 71, 73, note 33 ; Compin et Roquebert, 1986, p. 9, repr. ; Arasse, 1992, p. 175, repr. fig. 165 ; Laclotte et Cuzin, 1993, repr. p. 69 ; Brême, 1998, p. 39, repr. p. 36, 40, fig. 31.* • **Œuvres en rapport :** *voir notice ci-dessus.*

Vers 1714
H/t, 0,65 x 0,52 m
Paris, musée du Louvre (inv. D.L. 1970.11)

N°5 *Portrait d'homme en Bacchus*

Longtemps considéré, à tort, comme étant le portrait de Philippe d'Orléans (1674-1723), ce tableau fut exécuté vers 1680-1685. Ni esquisse comme l'*Inconnue en Diane* (n° 2), ni *ricordo* comme *Le comte de Magalotti* (n° 3), cette toile correspond très exactement à ce que l'on appelait au XVIIe siècle un « portrait en petit, à la flamande », par allusion au genre dont Gaspar Netscher (1639-1684) par exemple – et même s'il était néerlandais –, s'était fait une spécialité. Ces tableaux précieux, qui exigeaient de la part du peintre le plus grand soin et la plus grande habileté, étaient alors fort considérés. Paysagiste occasionnel, peintre de nature morte très appliqué et portraitiste par vocation, Largillierre devait naturellement s'essayer à ce genre composite : le paysage sylvestre qu'il nous propose, quoique luxuriant, ne présente pas encore l'exubérance que nous connaissons aux œuvres plus tardives. La pose du modèle, inspirée de la statuaire antique, est encore classique et les draperies, animées de plis anguleux, sont très caractéristiques des œuvres des années 1680 (voir n° 42). Inconnu, ce modèle a eu la belle audace de se faire représenter en Bacchus, devant un terme figurant Silène, son père nourricier. Au pied de la statue, les deux panthères tirant à l'ordinaire le char du demi-dieu s'enivrent en se gavant de raisins. Fruit des amours de Jupiter et de Sémélé, Bacchus fut longtemps persécuté par Junon, exaspérée par les infidélités de son époux. Pour échapper à sa colère, il se changeait indifféremment en bouc ou en jeune fille : voilà pourquoi la nudité du modèle est ici à peine voilée par la peau de l'animal, et pourquoi il pose dans une attitude quelque peu efféminée. Ses chairs, épaisses, flasques et blanches, sont celles d'un homme peu habitué à les exposer au regard d'autrui ; cependant, par un surcroît d'indiscrétion et d'impudicité, cet exhibitionnisme un peu forcé soutient efficacement le caractère licencieux du portrait allégorique.

• **Historique :** *vente, Paris, 29 janvier 1873, n° 17 (comme portrait du Régent en Bacchus) ; collection Gustave Rothan, à Lille ; vente, Paris, galerie Georges Petit, 29-31 mai 1890, n° 162 (comme portrait du Régent) ; collection du baron Basile de Schlichting ; légué par lui au musée du Louvre en 1914.* • **Expositions :** *1955, Paris, n° 416 ; 1956, Brive-la-Gaillarde, n° 132 (attribué à Largillierre) ; 1979-1980, Paris, n° 26, repr. ; 1985, Lille, p. 114, n° 71, repr. p. 113, fig. 71 ; 1995, Taïpeh, p. 204, 310, n° 55, repr. p. 205, 310 ; 2001-2002, Paris, p. 224, n° 66, repr. p. 225.* • **Bibliographie :** *Mantz, 1873, p. 446-447 ; Brière, 1924, n° 3164 (école française, 1re moitié du XVIIIe siècle) ; Dayot, 1928, p. 218, repr. ; Dacier, Vuaflart et Hérold, 1923-1929, t. I, p. 181 ; Laclotte, 1972, p. 227 ; Rosenberg, Reynaud et Compin, 1974, p. 279, n° 414, repr. p. 193, fig. 414 ; Lastic, 1982, p. 26 ; Lastic, 1983a, p. 35 ; Lastic, 1983c, p. 75, 81, note 8, repr. p. 73, fig. 1 ; Compin et Roquebert, 1986, p. 32 ; Foucart, 1987, p. 41 ; Moureau, 1987, p. 21, repr.*

Vers 1680-1685
H/t, 0,425 x 0,315 m
Paris, musée du Louvre (R.F. 2155)

N°6 Paysage

Largillierre dut peindre le paysage avec une relative assiduité : l'aisance dont il fait preuve dans la pratique du genre ne pouvait que l'y inciter. Le petit coin de forêt conservé au Louvre est néanmoins le seul véritable paysage aujourd'hui connu de l'artiste qui, cependant, nous laissa dans le fond de ses nombreux portraits quelques beaux morceaux d'une nature proliférante. Loin du schéma classique introduit par Poussin, sa conception du paysage est en effet marquée par l'abondance, le désordre, l'artifice bien sûr et, de façon plus inattendue peut-être, par l'inquiétude et la mélancolie. Il n'est guère que Joseph Parrocel (1646-1704), à la même époque, pour développer en France une vision aussi exubérante de la nature : la succession de plans très contrastés, l'opposition d'une gamme chaude pour la végétation et plutôt acide pour le ciel et les lointains, le déploiement capricieux des buissons et des arbres, assujettis au geste graphique, ne sont pas les moindres rapports que l'on puisse trouver entre les deux artistes. Mais caractéristiques de Largillierre sont ces branches en forme de plumets ocres, souvent orangés ou bruns, qui envahissent le fond de certains portraits et leur confèrent un caractère soudainement étrange. Et si Chardin retint la leçon du peintre de nature morte, il n'est pas douteux que Watteau se soit longuement arrêté sur les paysages de Largillierre : la clairière et le chemin qui s'enfonce entre les arbres, à gauche, sont des visions passagères dont l'inventeur des fêtes galantes interrogera bientôt le pouvoir onirique. Dans cet océan de végétation dorée, le couple assis au pied du grand chêne déplumé, à droite, annonce la cohorte d'amants embarqués bientôt pour Cythère : le bras tendu vers quelque nouvel horizon, incertain, l'homme au chapeau noir invite sa compagne à parcourir le monde foisonnant qui les entoure comme le plan confus de l'aventure amoureuse qui va bientôt les submerger, comme la carte du Tendre où ils vont assurément se perdre.

• HISTORIQUE : *Suisse, collection William Girod ; acquis par le musée du Louvre en 1971.* • EXPOSITIONS : *1975-1976, Toledo, Chicago, Ottawa, p. 58, n° 60, repr. pl. 14 ; 1978, Moscou, Léningrad, n° 62 ; 1981, Montréal, p. 205-206, n° 40, 216, repr. p. 205.* • BIBLIOGRAPHIE : Gazette des Beaux-Arts, *février 1972, p. 12, n° 33, repr. fig. 33 ; Maison et Rosenberg, 1973, p. 89-90, repr. p. 89, fig. 1 ;* Revue du Louvre et des musées de France, *1973, n° 2, p. 89, repr. ; Rosenberg, Reynaud et Compin, 1974, p. 280, n° 423, repr. p. 197, fig. 423 ; 1975, Bruxelles, p. 55 ; Brejon de Lavergnée et Dorival, 1979, p. 348 ; 1980-1981a, Paris, p. 58 ; Lastic, 1981, p. 8 ; Lastic, 1983a, p. 36 ; Compin et Roquebert, 1986, p. 32, repr. ; Laclotte et Cuzin, 1993, p. 64 ; Levey, 1993, p. 7-8, repr. p. 8 ; Mérot, 1994, p. 234, repr. p. 235 ; Gowing, 1996, t. II, repr. p. 503 ; Brême, 1998, p. 32, repr. p. 34-35, fig. 27 ; Rosenberg, 2001, p. 360 ; 2002, Lyon, p. 120, repr. p. 123, fig. 33.*

1700-1710
H/t marouflée sur carton, 0,36 x 0,64 m
Une signature était visible au dos,
avant le marouflage : « N. de Largillierre pinxit »
Paris, musée du Louvre (R.F. 1971.2)

N°7 *Composition décorative avec rideaux, paysage et animaux*

Que Largillierre se soit entouré de tableaux religieux de sa main (voir p. 53) ne l'empêcha pas de décorer voluptueusement sa maison de la rue Geoffroy-l'Angevin (voir historique ci-dessous). Ce grand panneau en témoigne, qui appartenait à un ensemble de trois compositions où le peintre exprima sans réserve toute la fantaisie dont il était capable : glissant entre deux cantonnières à lambrequins et pompons, deux lourds rideaux de velours cramoisi s'ouvrent avec fracas sur le théâtre du monde. Un ara, jaune et bleu, et un chat, blanc et noir, se disputent la place, tandis que dans le concert vert amande, sable et doré d'un bois luxuriant, badine un couple de bergers. Sans doute raccourci dans la partie inférieure, ce tableau comprenait vraisemblablement une belle balustrade assurant une transition entre l'espace de la pièce où il était présenté et l'espace fictif de l'œuvre. Mais au-delà du projet décoratif et de l'anecdote, le véritable amateur de peinture percevra d'emblée la puissance plastique inouïe libérée ici par Largillierre : la fermeté du dessin, la vigueur des contrastes, la richesse des laques de garance et l'absolue liberté du pinceau assignent à la peinture, dans l'enthousiasme du geste, une fonction jubilatoire étonnamment communicative.

• **Historique :** *Peint par Largillierre pour sa maison de la rue Geoffroy-l'Angevin, où le tableau se trouvait, avec deux autres de même sujet, encastré dans la boiserie d'une salle précédant la chambre de l'artiste au deuxième étage ; cité pour mémoire, avec les deux autres toiles, dans l'inventaire après décès du peintre, le 26 mars 1746 (Archives nationales, Minutier central, XIV, 329, f° 3r, n° 13) ; dans la maison de l'artiste, qui appartient à M. Fleury en 1774 et à M. Vermeil en 1779 ; l'ensemble est vendu vers 1865-1866 par M. Cibot, petit-fils de M. Vermeil, aux antiquaires de La Roche et Ricois, établis 9, rue Bonaparte; les toiles sont proposées au musée du Louvre par Ricois, le 3 mars 1866 (lettre au comte de Nieuwerkerke ; Archives du musée du Louvre, P5.1886) ; le tableau est acquis vers 1890, avec une des deux autres toiles (la trace de la troisième se perd ici), par la baronne Nathaniel de Rothschild et exposé dans son hôtel de la rue Saint-Honoré ; au château de la Muette, en 1928, propriété d'Henri de Rothschild, petit-fils de la baronne Nathaniel (il n'est plus question alors du second tableau) ; vendu à Galliera, sans doute par un descendant d'Henri de Rothschild, le 9 décembre 1961, n° 29 ; acquis à cette vente par Georges Ryaux ; vendu, lors de la succession de celui-ci, au Palais d'Orsay, le 24 octobre 1979, n° 88 ; acquis par le Louvre la même année.* • **Expositions :** *1980-1981a, Paris, p. 56-58, n° 41, repr. p. 57 ; 1981, Montréal, p. 53-55, n° 3, repr. p. 53 ; 1985, Lille, p. 114, n° 70, repr. p. 37, 113.* • **Bibliographie :** *Dezallier d'Argenville, 1762, p. 302 ; Mantz, 1893a, p. 97 ; Champeaux, 1898, p. 218 ; Dorbec, 1913, p. 256 ; Gronkowski, 1928, p. 336 ; Pascal, 1928a, p. 78, n° 216 ; Grate, 1961, p. 27, 30 ; Faré, 1962, T. I, p. 152, 231, T. II, pl. 297 ; Lastic, 1968, p. 237-238 ; Maison et Rosenberg, 1973, p. 90, note 3 ; Faré, 1976, p. 60, 62, repr. p. 60, fig. 81 ; Lastic, 1983a, p. 35, 36 ; Lastic, 1983c, p. 80 ; Compin et Roquebert, 1986, p. 32 ; Laclotte et Cuzin, 1989, p. 56 ; Laclotte et Cuzin, 1993, p. 64, repr. p. 68 ; Brême, 1998, p. 25-26, repr. p. 25, fig. 21 ; Salvi, 2000, p. 217.* • **Œuvres en rapport :** *voir historique ci-dessus.*

Vers 1715
H/t, cintré, 2,61 x 2,51 m
Paris, musée du Louvre (RF 1979. 59)

N°8 *Le repas offert à Louis XIV, le 30 janvier 1687 (esquisse)*

Outre le fait qu'elles gardent le souvenir des compositions réalisées par Largillierre pour l'Hôtel de Ville de Paris, les quelques esquisses liées à ces commandes (voir aussi n° 9 à 12) constituent de précieux témoignages sur la méthode de travail du peintre. Cette petite esquisse correspond à la première pensée de l'artiste pour le grand tableau commémorant le repas offert par les échevins à Louis XIV, le 30 janvier 1687 (voir p. 40-42). Comme nous l'avons dit, Rigaud fut d'abord pressenti dans la réalisation de cette commande : deux esquisses furent brossées par lui sur ce sujet, l'une conservée en mains privées (voir Lastic, 1976, repr. p. 150, fig. 1) et l'autre au musée de Picardie à Amiens (*id.*, repr. p. 150, fig. 2). La première présente les quatre échevins, à droite ; un bureau, au centre, couvert d'un lourd tapis de velours bleu ; le prévôt des marchands, accoudé à ce bureau ; enfin le procureur du roi et de la ville, le receveur et le greffier, à gauche, présentant au corps échevinal un dessin relatif à l'installation, dans la cour de l'Hôtel de Ville, d'une statue de Louis XIV due au ciseau d'Antoine Coysevox. Au fond se voit un grand tableau représentant le repas du 30 janvier 1687. Sur l'esquisse du musée d'Amiens, les quatre échevins sont toujours à droite, le prévôt des marchands a été légèrement recentré, tandis que le procureur, le receveur et le greffier sont tournés vers la gauche de la composition où Coysevox lui-même apparaît, accompagné d'un aide, venant présenter le *modello* de sa statue au corps municipal. Redonnant de l'importance au personnage du roi, Largillierre a introduit au centre de sa propre esquisse, derrière le bureau, un buste de Louis XIV posé sur une gaine. Coysevox a disparu et seule sa statue, posée à proximité du prévôt des marchands, indique l'objet de la réunion des échevins. Comme dans la première esquisse de Rigaud, un des officiers présente un grand dessin, à gauche, dont le *ricordo* de l'Ermitage permet de comprendre qu'il s'agit du tracé de la niche dans laquelle devait être disposée la statue. Dans l'esquisse du Louvre enfin (voir n° 9), le sculpteur est à nouveau présent (il s'agit sans doute du personnage dont la tête apparaît, à l'arrière-plan, entre le prévôt des marchands et le procureur, le receveur présentant, à gauche, l'œuvre du sculpteur) et le dessin de la niche est cette fois entre les mains des quatre échevins de droite (voir suite de la notice au n° 9).

• **Historique** : *vente, Strasbourg, 20 juin 1989, p. 18, n° 18, repr. p. 19 ; galerie Cailleux, Paris ; acquis de cette galerie par le musée en 1990.* • **Expositions** : *1994, Paris, p. 104, n° 129 ; 1997-1998, Nantes, Toulouse, p. 214-215, n° 33, repr. p. 146.* • **Bibliographie** : *Brière, Dumolin et Jarry, 1937, p. 31 ; Lastic, 1976, p. 153, 156, note 14, repr. p. 151, fig. 4 ; Montgolfier, 1986, p. 49 ; Montgolfier, 1989, p. 39 ;* Gazette des Beaux-Arts, *mars 1991, p. 11, fig. 34 ; Rosenfeld, 1992, p. 45, 46-47, 51, note 29, repr. p. 47, fig. 5 ; Opperman, 1996, p. 789 ; Cabanne, 1997, p. 313 ; Brême, 1998, p. 14, 42 ; Bruson et Leribault, 1999, p. 260, P. 2370, repr.* • **Œuvres en rapport** : *le musée du Louvre conserve une esquisse plus poussée de la même composition (voir n° 9) ; un* ricordo *du tableau définitif (perdu) se trouve au musée de l'Ermitage, à Saint-Pétersbourg.*

Le prévôt des marchands et les échevins de la ville de Paris commémorant le repas offert à Louis XIV, le 30 janvier 1687
1689
H/t, 0,32 x 0,415 m
Paris, musée Carnavalet (inv. P. 2370)

N°9 Le repas offert à Louis XIV, le 30 janvier 1687 (esquisse)

Le souvenir du tableau achevé de Largillierre pour cette commande (voir début de la notice au n° 8) est aujourd'hui conservé au musée de l'Ermitage à Saint-Pétersbourg. Ce *ricordo* montre combien le projet de Largillierre avait évolué, et combien l'artiste avait su, finalement, se détacher de la voie tracée par Rigaud : Coysevox avait définitivement disparu ; trois échevins étaient assis à droite, le quatrième étant debout, au centre de la composition, accompagné du receveur, également debout ; à l'extrême gauche, accoudé au bureau, le prévôt des marchands se voit présenter le dessin par le procureur du roi, tandis qu'à l'arrière-plan, le greffier (mais la couleur de sa robe ne convient pas à cette fonction ?) présente à l'assemblée l'effigie de Louis XIV. L'esquisse de Carnavalet semble précéder celle du Louvre : Largillierre s'y montre en effet beaucoup plus allusif dans sa technique, et beaucoup plus incertain dans la disposition de ses personnages. Sa composition n'a pas encore, alors, le rythme souple et naturel que l'on voit apparaître dans le tableau du Louvre. Ces deux petits projets montrent l'extraordinaire aptitude du peintre à saisir, en quelques coups de pinceau, le naturel des poses, la vivacité des gestes et des expressions. Chargeant tout d'abord un fond très maigre de quelques accents gras (Carnavalet), afin de définir le mouvement général des corps, les quelques taches de lumière des visages et la ponctuation des mains, Largillierre se montre plus généreux en matière lorsqu'il en vient à penser sa composition dans le déploiement chaud et vibrant de la couleur (Louvre).

• **Historique :** *collection du docteur Louis La Caze ; légué par lui au musée du Louvre en 1869.* • **Expositions :** *1926, Amsterdam ; 1928, Paris, p. 16, n° 2, repr. pl. II (1ère éd.), p. 19, n° 2, repr. Pl. II (2e éd.) ; 1956, Brive-la-Gaillarde, n° 146 ; 1958, Gand, n° 39 ; 1960b, Paris, p. 138, n° 638 ; 1960-1961, Washington, Toledo, New York, p. 131, n° 131 ; 1962, Milan, n° 123, repr. ; 1975, Paris, n° 38, repr. ; 1976, Rome, n° 28, repr. ; 1981, Montréal, p. 155-157, n° 25, repr. p. 155 ; 1982-1983, Dijon ; 1985, Lille, p. 110-111, n° 67, repr. p. 110 ; 1991, Tokyo, p. 153, n° 81, repr.* • **Bibliographie :** *Mantz, 1870, p. 18 ; Reiset, 1870, p. 59, n° 216 ; Mantz, 1893b, p. 96 ; Bellier de La Chavignerie et Auvray, 1882-1886, p. 911 ; Marcel, 1906, p. 135, repr. p. 145, fig. 43 ; Hourticq, 1914, p. 266, repr. ; Brière, 1924, p. 150-151, n° 481 ; Girodie, 1928, p. 63 ; Gronkowski, 1928, p. 334 ; Pascal, 1928a, p. 76, n° 199, repr. pl. I ; Pascal, 1928b, p. 162 ; Weisbach, 1932, p. 282, repr. pl. 26 ; Ratouis de Limay, 1938, p. 78 ; 1967, Paris, p. 20 ; Thuillier et Châtelet, 1964, p. 133 ; Laclotte, 1972, p. 226-227 ; Wilenski, 1973, p. 89-90 ; Rosenberg, Reynaud et Compin, 1974, p. 279, n° 415, repr. p. 193, fig. 415 ; Lastic, 1976, p. 149, 153, 156, note 13, repr. p. 151, fig. 3 ; 1982-1983, Dijon, p. 263, repr. p. 262 ; Blunt, 1988, p. 396 ; Lastic, 1983c, p. 76 ; Rosenfeld, 1984, p. 69 ; Compin et Roquebert, 1986, p. 31 ; Rosenberg et Stewart, 1987, p. 209 ; Rosenfeld, 1992, p. 45, 46-47, 51, note 29 ; Mérot, 1994, p. 196-197, repr. p. 197 ; Opperman, 1996, p. 789, 790 ; Brême, 1997b, repr. p. 48 ; 1997-1998, Nantes, Toulouse, p. 146, repr. ; Brême, 1998, p. 14, 42.* • **Œuvres en rapport :** *le musée Carnavalet conserve une première pensée pour la même composition (voir n° 8) ; un* ricordo *du tableau définitif (perdu) se trouve au musée de l'Ermitage, à Saint-Pétersbourg.*

Le prévôt des marchands et les échevins de la ville de Paris
commémorant le repas offert à Louis XIV, le 30 janvier 1687
1689
H/t, 0,31 x 0,43 m
Paris, musée du Louvre (M.I. 1077)

N° 10 *Quatre échevins (esquisse)*

Cette rare esquisse à l'huile sur papier est une première pensée de l'artiste pour le grand tableau qui lui fut commandé par les échevins de Paris, le 13 mai 1697, sur le sujet du mariage prochain du duc de Bourgogne avec Marie-Adélaïde de Savoie (voir p. 47). Le souvenir de cette œuvre est conservé par une estampe due au modeste burin de François-Denis Née : devant un édifice pourvu d'une colonnade et d'un fronton (le temple de la Gloire ?), Mercure descend des cieux et remet à la France le portrait de la jeune princesse de la maison de Savoie. Laurée et couverte d'un grand manteau fleurdelisé, la France est accompagnée de la Paix, belle jeune femme portant un rameau d'olivier, et de la Victoire, reconnaissable à sa branche de palme. À leurs pieds, deux amours vident une corne d'abondance de tous les fruits de la terre. De part et d'autre de ce sujet central, le corps municipal au grand complet se déploie : depuis le prévôt des marchands jusqu'aux échevins, en passant par le receveur, le greffier et le procureur du roi, la garde et quantité de personnages anonymes constituant la foule des curieux venus assister à l'événement. Au-dessus de la scène volent deux Renommées, dont l'une embouche sa trompette, tandis que dans les cieux, le génie de la France, sous la forme d'une gloire solaire, chasse des harpies symbolisant la Guerre. La colonnade et la corniche du palais sont les détails qui permettent de rapprocher avec beaucoup de vraisemblance l'esquisse du Louvre de la commande de 1697. Il s'agit de toute évidence d'une étude pour l'un des côtés du tableau, comprenant quatre membres du corps municipal. Certes la disposition des éléments présente de grandes différences avec la composition finale, mais le motif de la colonnade et celui, surtout, du palais couronné d'une balustrade autorisent à faire le lien entre les deux œuvres. Rappelons, en outre, que nous connaissons la disposition des tableaux de 1689 (voir n° 8 et 9), de 1696 (voir p. 44) et de 1722 (voir n° 12). Quant à celui de 1702, si nous n'en avons aucune vue d'ensemble, nous savons que les échevins s'y voyaient devant une « tapisserie » (voir p. 52). Seule la commande de 1697 présente des éléments d'architecture comparables à ceux que l'on voit ici. Comme dans les esquisses de Carnavalet et du Louvre, Largillierre se montre fort habile à capter les accents soutenant la vraisemblance d'une pose, d'un geste ou d'une expression : on appréciera particulièrement les masques terribles qui confèrent au ballet mondain des échevins une étrange allure de danse macabre. On notera surtout la virtuosité du maître dont le pinceau vif sait rendre avec acuité, en quelques traits, le poids, le pli et la texture des belles robes de velours. Cette brillante étude ne peut que faire regretter la perte – peut-être pas inéluctable ? – des nombreux portefeuilles d'esquisses inventoriés chez l'artiste en 1746.

• **Historique :** *saisi des Émigrés.* • **Expositions :** *1967, Paris, p. 20, n° 4.* • **Bibliographie :** *Morel d'Arleux, 1797-1827, t. VIII, n° 10 873 ; Champeaux, 1898, p. 206 ; Guiffrey et Marcel, 1907-1928, t. VII, p. 96, n° 5645, repr. p. 97 ; Hourticq, 1921, p. 129 ; Brière, Dumolin et Jarry, 1937, p. 32 ; Opperman, 1996, p. 789.*

1697
H/papier, 0,288 x 0,182 m
Paris, musée du Louvre, département des Arts graphiques (inv. 27551)

N° 11 Allégorie de l'arrivée en France de l'infante d'Espagne (esquisse)

Apparue tout récemment sur le marché de l'art et fort opportunément acquise par le musée Carnavalet, cette petite esquisse représente le prévôt des marchands et les échevins de Paris assemblés devant un grand tableau dont il font le commentaire. Cette composition, située en léger biais, à l'arrière-plan, montre un carrosse doré, tiré par quelques chevaux blancs, d'où sort une personne d'importance accueillie par le corps municipal, à nouveau représenté. Il est malheureusement impossible de préciser l'identité de ce personnage, et aucune commande connue des échevins à Largillierre ne permet de mettre en relation cette esquisse avec l'événement qui appela sa mise en œuvre. Le style, peut-être, nous permet de faire une hypothèse : le dessin plus rond et le pinceau plus enveloppant que dans les esquisses étudiées précédemment, l'harmonie chromatique assez froide de l'ensemble, jouant abondamment sur des modulations de gris, autorisent une datation assez tardive, vers 1720. Pourquoi ne pourrait-il s'agir, alors, d'une première pensée pour le tableau célébrant la venue en France de Marie-Anne-Victoire de Bourbon, infante d'Espagne, arrivée à Paris en janvier 1722 (voir n° 12) ? Certes le contrat de commande, signé par l'artiste et les échevins en date du 11 août suivant, stipulait que le tableau représenterait « le roi sur son trône, le duc d'Orléans, soutien du trône guidé par Minerve, tenant le portrait de l'Infante, de même que MM. le prévôt, les échevins, le procureur du roi, le greffier et le receveur de la Ville aux pieds de sa majesté. » (voir p. 57). Ce fut d'ailleurs, comme il se devait, le dispositif retenu par Largillierre dans l'esquisse qu'il conçut en réponse à la demande des échevins, et que nous présentons au numéro suivant. Il se pourrait néanmoins que le peintre ait fait une première proposition, peut-être rapidement écartée, car il va sans dire que les choses devaient être déjà très entendues au moment où les parties signaient conjointement le contrat de commande devant notaire. Et la raison de l'abandon de ce premier projet est certainement facile à deviner : Largillierre y faisait une part bien trop réduite à la famille royale. Un rééquilibrage était nécessaire, qui donna lieu au second projet, mieux adapté en effet à la circonstance.

• **Historique** : *collection du peintre Jules-Eugène Lenepveu (1819-1898) ; vente, Angers, 17 juin 2003 ; acquis lors de cette vente par le musée Carnavalet.* • **Expositions** : *jamais exposé.* • **Bibliographie** : Gazette de l'hôtel Drouot, *n° 25, 27 juin 2003, p. 55, repr.* • **Œuvres en rapport** : *sans doute une première pensée pour le tableau commandé à Largillierre par les échevins de Paris, en 1722, à l'occasion de l'arrivée en France de l'infante d'Espagne (voir p. 57 et n° 12).*

Le prévôt des marchands et les échevins de la ville de Paris,
allégorie de l'arrivée en France de l'infante d'Espagne (avant restauration)
1702
H/t, 0,335 x 0,525 m
Paris, musée Carnavalet

N° 12 Allégorie de l'arrivée en France de l'infante d'Espagne (esquisse)

Cette vive esquisse garde le souvenir de la composition commandée à Largillierre par les échevins de Paris le 11 août 1722. Le sujet en était une allégorie célébrant les fiançailles et le mariage prochain de la très jeune Marie-Anne-Victoire de Bourbon (1718-1781), infante d'Espagne, avec Louis XV, âgé de douze ans (voir p. 57). Au premier plan, à gauche, se voient le prévôt des marchands et quatre échevins, agenouillés, tandis que du côté opposé apparaissent les trois autres membres du corps municipal, devant une représentation allégorique de la Seine : un personnage couché, vu de dos, accompagné d'une nymphe. Soucieux de l'effet d'ensemble, le peintre ne s'est guère montré précis dans le rendu des costumes (partitions et couleurs). Aussi est-il assez difficile de reconnaître, à l'exception du prévôt des marchands, les différentes fonctions des officiers représentés. Au centre de la composition trône le jeune Louis XV, revêtu d'une cuirasse, le torse barré par l'écharpe bleu céleste de l'ordre du Saint-Esprit et chaussé de jambières à l'antique. Philippe d'Orléans, régent de France, assiste l'enfant et, en marque de protection, pose la main sur le dossier du trône. Vêtu lui aussi à l'antique, le Régent arbore également l'écharpe de l'ordre créé par le dernier des Valois, Henri III, en 1578. Derrière le siège, à droite, les trois Grâces se tiennent par la main pour souligner combien elles appuient d'une seule voix le projet d'union des enfants royaux. Dans les cieux à gauche, Minerve, déesse de la sagesse, portant casque et cuirasse, éloigne de son bouclier les nuées sombres qui, naguère, menaçaient encore l'entente des deux pays. Inspirant une fois de plus la réconciliation, elle présente elle-même, avec l'aide de quelques *putti*, le portrait de l'infante au jeune roi. En léger retrait, sur le côté, le génie de l'Espagne, reconnaissable à son lion, couché sur les nuées, passe, en signe d'alliance, le collier de l'ordre de la Toison d'or autour du cou d'un coq, emblème du royaume de France. D'une grande lisibilité, la composition cependant flottante du tableau trouve une dimension onirique que viennent renforcer les masques enfarinés et anonymes de tous les personnages. S'exprimant par le geste, aucun n'a de bouche, chacun étant réduit au silence de la seule chorégraphie collective voulue par le peintre. Il est probable que le grand tableau fut peint, mais sans doute resta-t-il très peu de temps en place : le 17 mai 1725, les fiançailles de Louis XV et de l'infante furent en effet rompues, et dès le 5 septembre suivant, le roi épousait Marie Leczinska.

• Historique : *don Bourgarel, 1920.* • Expositions : *1928, Paris, p. 20, n° 6 (2e éd.) ; 1960-1961, Washington, Toledo, New York, p. 72, n° 131; 1967-1968, San Diego, San Francisco, Sacramento, Santa Barbara, n° 15 ; 1981, Montréal, p. 168-169, n° 29, repr. p. 168.* • Bibliographie : *Mantz, 1893b, p. 298-299 ; Brière, 1920, p. 217-219 ; Gronkowski, 1928, p. 334 ; Pascal, 1928a, p. 27-28, 77, n° 204, repr. pl. II ; Pascal, 1928b, p. 162 ; 1967, Paris, p. 20 ; Lastic, 1976, p. 155 ; Lastic, 1982, p. 78 ; Rosenfeld, 1984, p. 71 ; Montgolfier, 1986, p. 49 ; Montgolfier, 1989, p. 39; Rosenfeld, 1992, p. 47, 52, note 51 ; Opperman, 1996, p. 789 ; Cabanne, 1997, p. 313 ; Brême, 1998, p. 27, 42, repr. p. 26, fig. 22 ; Bruson et Leribault, 1999, p. 260, P. 1324, repr.* • Œuvres en rapport : *l'esquisse acquise tout récemment par le musée Carnavalet (voir n° 11) est très vraisemblablement une première idée pour le même projet.*

Le prévôt des marchands et les échevins de la ville de Paris, allégorie de l'arrivée en France de l'infante d'Espagne
1722
H/t, 0,33 x 0,54 m
Paris, musée Carnavalet
(P. 1324)

N°13 *Hugues Desnotz, échevin de la ville de Paris*

La tradition voulait qu'un peintre qui avait été choisi pour faire un portrait collectif des échevins offrît à chacun d'entre eux son portrait individuel. Pour éviter un trop long travail de conception, et aussi parce que le portrait de chaque échevin devait servir d'étude à la composition de l'ensemble, la pose des portraits individuels reprenait généralement celle prise par le modèle dans le portrait collectif. La destination privée de ces œuvres demandait souvent, néanmoins, à ce que le peintre changeât quelque peu la position des mains : la gestuelle, qui avait un sens dans le cadre d'une construction allégorique complexe, perdait en effet sa raison d'être dans le contexte resserré d'un portrait plus intime. De même, le costume était généralement adapté au cadrage d'une composition resserrée. La tête seule était reprise à l'identique. Il est ainsi possible de comparer ce portrait d'Hugues Desnotz au fragment du tableau réalisé par Largillierre, entre 1702 et 1704, pour l'Hôtel de Ville de Paris et aujourd'hui conservé au musée Carnavalet (voir p. 52). Le décor en est évidemment différent : ouvert sur un paysage dans le tableau définitif, il est ici fermé par la représentation d'une chute de draperie et d'un mur, orné d'un pilastre classique. Dans cet intérieur confortable, Desnotz est assis sur un fauteuil dont le dossier est semblable à celui du tableau de Carnavalet, mais dont les accotoirs apparaissent maintenant parmi les plis de la robe de palais. Le dessin de celle-ci a été entièrement repris ; la main sur le cœur, serrant le gant, est identique ; celle qui tient le pli est différente : ouverte et désignant quelque objet dans la composition finale, elle permet ici d'introduire l'adresse du modèle et, ainsi, d'en révéler l'identité (Brière, 1919, p. 234-245). Prétexte à la réalisation de l'œuvre, la tête est en tous points semblable, tandis que le flot de boucles de la belle perruque grise a été adapté au nouveau dessin du costume. Notaire au Châtelet de 1686 à 1715, échevin de Paris de 1702 à 1704, Desnotz était premier valet de chambre de Monsieur, duc d'Orléans. Le portrait qu'en donne ici Largillierre est des plus flatteurs, et bien que l'artiste se soit imposé à lui-même le schéma général de la pose, il a su la rééquilibrer et lui donner, tant par le dessin que par la qualité de l'exécution, une autorité égale à celle de ses meilleurs portraits.

• **Historique** : *collection du docteur Louis La Caze ; légué par lui au musée du Louvre en 1869.* • **Expositions** : *1860, Paris, n° 190 ; 1962, Milan, n° 124.* • **Bibliographie** : *Reiset, 1870, p. 60, n° 220 ; Bellier de La Chavignerie et Auvray, 1882-1886, p. 911 ; Brière, 1918-1919, p. 146 ; Brière, 1919, p. 234-245 ; Brière, 1924, p. 151-152, n° 487 ; Pascal, 1928a, p. 60, n° 47, repr. pl. IV ; Laclotte, 1972, p. 227 ; Rosenberg, Reynaud et Compin, 1974, p. 279, n° 418, repr. p. 194, fig. 418 ; Compin et Roquebert, 1986, p. 31, repr.* • **Œuvres en rapport** : *ce tableau est la reprise partielle, avec variantes, de la grande composition commandée à Largillierre par les échevins de Paris en 1702 pour célébrer l'accession du duc d'Anjou à la couronne d'Espagne (voir p. 52), et dont deux fragments sont conservés au musée Carnavalet.*

1704
H/t, 1,36 x 1,02 m
Signé et daté à mi-hauteur à droite :
« …de Largillierre 1704 »
Paris, musée du Louvre (MI 1081)

N° 14 *Largillierre dans son atelier, avec Gérard Edelinck et un commanditaire*

Devançant les spéculations attendues des historiens d'art, Largillierre a réuni en cette composition quasi allégorique les acteurs d'un petit épisode lié au devenir de l'une de ses œuvres : le portrait en buste de Thomas-Alexandre Morant, intendant et commandant en Provence, visible sur le chevalet situé ici à gauche. La toile est aujourd'hui perdue, mais le souvenir en est gardé par une belle estampe réalisée par Gérard Edelinck en 1685, à la demande de Pierre Bernard. Celui-ci est sans doute le personnage se tenant debout devant le chevalet : d'une main, il indique le portrait dont il avait souhaité obtenir la gravure et, de l'autre bras, s'appuie sur le dossier d'une chaise où se tient Edelinck. En un mouvement très élégant, le graveur se retourne vers son commanditaire tout en lui désignant le fruit de son labeur, un beau tirage de l'estampe fraîchement sorti de la presse. À l'extrême droite du tableau, Largillierre, une palette à la main, présente avec Edelinck le résultat de leur travail commun, et boucle ainsi la chaîne en renvoyant à l'origine de l'action : son portrait peint de Morant placé à gauche. Le peintre a situé la scène dans un lieu imaginaire et grandiose, sorte de palais ou de temple des arts, avec colonnade, chute de draperie, mobilier de bois doré et sculptures antiques… Quel qu'ait été son succès lors de son arrivée à Paris en 1679, il est impossible de croire que l'artiste pouvait, dès le milieu des années 1680, paraître dans un cadre aussi luxueux. Son habit, et particulièrement le grand manteau de taffetas qui lui enveloppe le corps, ne sont pas d'un peintre dans son atelier, mais d'un prince de la peinture se faisant une idée très haute de sa mission. La palette, dès lors, apparaît non pas comme un instrument de travail, mais davantage comme un attribut, presque comme une enseigne. Les trois costumes se déployant sur le tableau opèrent d'ailleurs comme des applications immédiates du génie chromatique de l'artiste : justaucorps gris vert et manteau rouge pour Bernard, justaucorps bleu et manteau jaune orangé pour Edelinck suffisent à poser en dominantes les trois couleurs primaires, tout en les faisant tendre subtilement à des relations de complémentarité qui en accentuent l'éclat (gris vert et rouge, bleu et jaune orangé). Largillierre, quant à lui, s'est paré de teintes plus nuancées : costume brun rouille (ternaire) et manteau vert tendre (binaire) rappellent que le peintre seul, par son travail opiniâtre, peut accéder aux secrets les plus enfouis de son art. Sa maîtrise du clair-obscur tournant ici pour creuser l'espace du tableau, n'est d'ailleurs pas d'un moindre mérite. Au début d'une brillante carrière, le jeune artiste affiche clairement ses ambitions et, par cette réunion d'esthètes, exprime les appétits de toute une génération.

• HISTORIQUE : *collection du comte de Montreuil, à Paris, en 1928 ; collection de la princesse Faucigny-Lucinge, en 1952 ; acquis par Walter P. Chrysler en 1954.* • EXPOSITIONS : *1928, Paris, p. 28, n° 62, (1re éd.), p. 32, n° 68, (2e éd.) ; 1950, Paris, p. 21, n° 34, repr. pl. XIII ; 1952b, Paris, n° 49a ; 1956, Portland, n° 61 ; 1963, New York, n° 3, repr. ; 1967, New York, n° 52, repr. ; 1968-1969, New York, n° 20 ; 1977, Nashville, n° 17 ; 1981, Montréal, p. 227-230, n° 45, repr. p. 227.* • BIBLIOGRAPHIE : *Gronkowski, 1928, p. 325-326 ; Lastic, 1979b, p. 20 ; Fermigier, 1981, p. 7 ; Lastic, 1982, p. 27, repr. p. 25, fig. 2 ; Lastic, 1983a, p. 37 ; Lastic, 1983c, p. 76, 82, note 26 ; Lastic, 1985, p. 43 ; Opperman, 1996, p. 789 ; Brême, 1998, repr. p. 7, fig. 2 ; Rosenberg, 2001, p. 378.*

Vers 1686-1688
H/t, 1,48 x 1,23 m
Signé en bas à droite, sur le carrelage :
« Peint Par N. De Largillierre »
Norfolk, The Chrysler Museum of Art

N° 15 Saint Barthélemy

La difficulté des historiens à situer et dater ce tableau montre assez combien il apparaît original dans le contexte de la peinture française du premier tiers du XVIIIe siècle. Les attributions les plus diverses ont en effet été proposées pour les différentes versions connues de cette œuvre : longtemps donnée à Jean Jouvenet (1644-1717), celle d'Arras a été rendue à un prudent anonymat ; celle de Riom est aujourd'hui donnée à Joseph-Marie Vien (1716-1809), qui l'aurait peinte vers 1751-1755 (voir Gaehtgens et Lugand, 1988, p. 143, n° 63) ; quant à celle de Genève, elle fut d'abord attribuée à quelque maître espagnol du XVIIe siècle, avant d'être rendue à Gaetano Gandolfi (1734-1802)... Entre les écoles espagnole, italienne et française, entre le XVIIe siècle et la seconde moitié du XVIIIe, ce tableau cherche donc une paternité qui, pensons-nous, revient assurément à Nicolas de Largillierre. Le peintre était naturellement porté à l'éclectisme : sa formation flamande, son intérêt pour le portrait anglais et la nécessité où il se trouva d'adapter sa manière au goût français s'enrichirent encore d'autres références, et l'on décèle parfois chez lui des allusions très claires à Rembrandt (voir n° 22), à la peinture vénitienne (voir n° 18 et 19) ou à l'école espagnole (voir n° 19). Or, ce type de composition religieuse présentant un dignitaire de l'Église à mi-corps, dans une attitude dynamique, trouve son origine dans l'entourage d'Annibal Carrache, à Bologne, au tout début du XVIIe siècle. Prônant justement l'éclectisme, Carrache imposa des modèles qui se répandirent dans l'Europe entière jusqu'à la fin du siècle suivant, et il n'est pas étonnant, dès lors, que le tableau que nous présentons ait suscité autant d'hypothèses, l'écriture du peintre permettant seule de trancher sur cette question de paternité (voir suite de la notice au n° 17).

• **Historique :** *sans doute l'un des apôtres peints par Largillierre pour sa maison de la rue Geoffroy-l'Angevin et figurant dans son inventaire après décès du 26 mars 1746 (« St Barthelemy » ; Lastic, 1981, p. 25, n° 71) ; sans doute l'un des apôtres vendus lors de la dispersion du cabinet de Largillierre, à Paris, le 14 janvier 1765 (n° 12 : « Cinq tableaux du même, représentant des Apôtres ») ; Amsterdam, galerie Willy Kock, en 1968.* • **Expositions :** *jamais exposé.* • **Bibliographie :** *Dezallier d'Argenville, 1762, p. 301 (« huit têtes d'apôtres ») ; Pascal, 1928a, p. 78, n° 213 (« douze apôtres ») ; Gaehtgens et Lugand, 1988, p. 143.* • **Œuvres en rapport :** *peint en pendant avec d'autres figures d'apôtres (voir historique ci-dessus), dont une seule est aujourd'hui connue (voir n° 17) ; le musée des Beaux-Arts d'Arras conserve une réplique de ce tableau, que nous pensons autographe (huile sur toile, 0,918 x 0,728 m) ; deux autres versions sont encore connues de cette composition, l'une au musée Francisque Mandet de Riom (huile sur toile, 0,90 x 0,73 m), donnée par Gaehtgens et Lugand à Joseph-Marie Vien, vers 1751-1755, et qui nous paraît être une copie d'atelier ; l'autre au musée d'Art et d'Histoire de Genève (attribuée à Gandolfi), également une copie.*

Vers 1710-1715
H/t, 0,93 x 0,74 m
Grande-Bretagne, collection particulière

N°16 *Sainte femme au pied de la croix*

Dans le catalogue récemment consacré aux peintures françaises du XVIIe siècle conservées au musée des Beaux-Arts d'Orléans (Notter, 2002, p. 38), nous avions proposé de dater ce tableau entre 1725 et 1730. Une comparaison attentive avec les deux toiles du séminaire de Saint-Sulpice, peintes très vraisemblablement vers 1730 (voir n° 18 et 19), nous contraint à avancer la date d'exécution probable du tableau d'Orléans aux alentours de 1700. Pour extravagant qu'en soit le coloris, cette composition présente en effet un dessin beaucoup plus précis et lisible que dans ce que nous savons désormais des œuvres plus tardives de l'artiste. Les draperies notamment – le *subligaculum* du Christ et le voile de la sainte femme – présentent un tracé net et anguleux qui autorise une datation assurément antérieure, même, à celle de l'*Entrée du Christ dans Jérusalem* du musée d'Arras (n° 20). La facture lisse et appliquée, très différente de celle, plus grasse, de la *Nativité* et de l'*Adoration des rois*, confirme cette hypothèse. Du point de vue iconographique, cette œuvre continue de poser un certain nombre de problèmes, liés essentiellement à l'identité de la sainte femme agenouillée au pied de la croix. Nous avons noté sa ressemblance avec Marguerite-Élisabeth de Largillierre, l'épouse du peintre (voir le grand portrait de famille conservé à la Kunsthalle de Brême), et avons supposé que le tableau ait pu être peint en souvenir de l'un de leurs enfants mort prématurément. Autant il nous semblait difficile de repousser l'exécution de l'œuvre à 1742, date du décès de Nicolas (1704-1742), autant il se pourrait qu'elle évoque, peu après le mariage des parents en 1699, la disparition d'un premier fils, dont les archives reconstituées de l'état-civil parisien, le dictionnaire de Jal (1872) ou le fichier Laborde (BNF) ne garderaient de trace. La datation nouvelle que nous proposons correspondrait très bien, cette fois, à l'époque probable d'un tel drame familial. Quant à l'identité biblique ou hagiographique de cette sainte femme, il semble qu'il faille y reconnaître tout simplement la Vierge Marie. Les cheveux de Marie-Madeleine eussent été découverts et un flacon de parfum, son attribut traditionnel, eût été représenté à proximité. Quant à l'hypothèse d'une représentation des saintes patronnes de Marguerite-Élisabeth de Largillierre, Marguerite d'Antioche ou Marguerite d'Écosse, nous avons vu qu'elle était peu soutenable (Notter, 2002, p. 38).

• **Historique** : *collection Henri de Langrève à la fin du XVIIIe siècle ; déposé en 2000 au musée par l'association diocésaine d'Orléans.* • **Expositions** : *2000, Orléans, p. 37-38, n° 21, repr. p. 37 ; 2001-2002, Paris, p. 248-249, n° 78, repr. p. 248.* • **Bibliographie** : *Notter, 2002, p. 37-38.* • **Œuvres en rapport** : *Largillierre a repris, soit d'après ce tableau, soit d'après une version en grand de celui-ci, le seul buste de la femme agenouillée au pied de la croix, portant le même voile, esquissant le même geste, mais légèrement plus près du corps (huile sur toile, 0,81 x 0,65 m, collection particulière ; repr. dans 2001-2002, Paris, p. 248, ill. 126).*

Vers 1700
H/t, 0,915 x 0,710 m
Orléans, musée des Beaux-Arts (inv. D 2001.1.5)

INRI

N° 17 Un apôtre

Issu de la même tradition que le *Saint Barthélemy* (n° 15), ce tableau présente des caractéristiques stylistiques voisines. N'ayant pas à flatter de modèle, Largillierre se montre très généreux en matière et plus audacieux qu'à l'ordinaire dans le traitement des carnations : le dessin très accusé des traits du visage et le rouge que l'on voit monter aux joues de l'apôtre confèrent à l'œuvre une picturalité immédiate et puissante. Et comme pour compenser cette fantaisie soudaine, le peintre choisit de tempérer le mouvement et d'assagir la facture des draperies qui enveloppent le buste du modèle. Cette retenue, qui préserve l'artiste d'un *pathos* qui ne lui convient pas, est sans doute ce qui le distingue des sources dont il s'inspire : les belles têtes d'apôtres et de saints réalisées, nombreuses, dans l'entourage de Rubens (notamment par Van Dyck), ou bien encore celles dues aux pinceaux des maîtres bolonais ou vénitiens. De même, l'harmonie claire et tendre du tableau tranche avec les contrastes soutenus qui, le plus souvent, servirent aux maîtres flamands et italiens à développer un mysticisme plus démonstratif. Cette palette fanée permet d'ailleurs de dater le tableau assez tardivement, vers 1720-1730, ce que confirment la rondeur du dessin, le caractère enveloppant du pinceau et le boursouflement des formes. Toutes ces caractéristiques obligent à situer le *Saint Barthélemy* antérieurement, vers 1710-1715, sans doute en même temps que l'*Entrée du Christ dans Jérusalem* (n° 20) : le dessin en est en effet plus vif, le rythme plus dynamique et le contraste plus marqué. Cette série d'apôtres réalisée par Largillierre est le signe évident de l'ouverture de l'école française à d'autres influences : le genre véhicule en lui-même une pensée plastique plus audacieuse, obligeant à l'effet, dont les artistes du Grand Siècle s'étaient longtemps détournés. Nous serions d'ailleurs bien en peine de trouver en France une série comparable avant celle qui nous occupe : rien de tel chez Poussin, bien sûr ; rien chez Le Brun, ni même chez Jouvenet ou La Fosse, à ce que nous en savons. Il faut attendre sans doute le *Démocrite* d'Antoine Coypel (1692, musée du Louvre), pour voir ces têtes d'expression flamboyantes, si contraires à l'esthétique classique, reconnues par les milieux académiques français.

• **Historique :** *sans doute l'un des apôtres peints par Largillierre pour sa maison de la rue Geoffroy-l'Angevin et figurant dans son inventaire après décès du 26 mars 1746 (Lastic, 1981, p. 24-25) ; sans doute l'un des apôtres vendus lors de la dispersion du cabinet de Largillierre, à Paris, le 14 janvier 1765 (n° 12 : « Cinq tableaux du même, représentant des Apôtres ») ; vente, Sotheby's, Monaco, 2 juillet 1993, n° 23, repr. (comme œuvre de l'école française du XVIIIe siècle) ; collection Karl Lagerfeld ; Vente Karl Lagerfeld, Christie's, New York, 23 mai 2000, p. 123, n° 83, repr.* • **Expositions :** *jamais exposé.* • **Bibliographie :** Mercure de France, *mars 1746, p. 213-214 ; Dezallier d'Argenville, 1762, p. 301 ; Wille, 1857, p. 65 ; Mantz, 1893b, p. 300, 301-302 ; Dorbec, 1913, p. 256 ; Pascal, 1928a, p. 78, n° 213 (« douze apôtres ») ; Maison et Rosenberg, 1973, p. 90, 91 ; Lastic, 1981, p. 8, 25 ; Rosenfeld, 1982, p. 396-397 ; Rosenberg, 1989, p. 245 ; 2001-2002, Paris, p. 116.* • **Œuvres en rapport :** *peint en pendant avec d'autres figures d'apôtres (voir historique ci-dessus) dont une seule est aujourd'hui connue (voir n° 15) ; le musée de Tessé, du Mans, conserve une version de ce tableau, apparemment de belle qualité, que nous ne connaissons que par la photographie.*

Vers 1720-1730
H/t, 0,923 x 0,735 m
France, collection particulière

N°18 Nativité

Il revient à notre ami Christophe Leribault d'avoir découvert et rendu à Largillierre, tout récemment, cette rare composition historique et son pendant (voir n° 19). Il est tentant d'identifier ces deux tableaux à ceux qui furent inventoriés chez l'artiste en mars 1746 (voir historique ci-dessous) : une « Cresche » et une « Adoration des mages ». Il se trouve cependant, dans la vente du cabinet de Largillierre faite à Paris le 14 janvier 1765 (p. 4, n° 7), une « Nativité » qui pourrait aussi correspondre à la première des deux mentions de l'inventaire de 1746 et dont les dimensions (« 4 pieds 6 pouces » sur « 3 pieds 4 pouces », soit environ 1,458 x 1,08 m) empêchent d'y reconnaître le tableau que nous présentons. Il est donc possible, mais non pas certain, que ces deux compositions proviennent de la collection personnelle de l'artiste. Sans précédent dans la peinture française du XVIIe siècle, sans équivalent au début du XVIIIe, ce luminisme saisissant est assurément de nature à surprendre les plus fins connaisseurs de cette période. Et l'on sera d'autant plus étonné par ce vocabulaire pictural qu'il révèle l'intérêt du peintre pour des influences italiennes, et plus précisément vénitiennes. Sans doute faut-il évoquer ici le passage à Paris de Sébastiano Ricci en 1716, puis de Gian Antonio Pellegrini et de Rosalba Carriera en 1720 : tous trois fréquentèrent la société des meilleurs amateurs de la capitale, visitèrent les coloristes français les plus engagés et furent même reçus à l'Académie royale. Le fameux collectionneur Pierre Crozat, ami de Charles de La Fosse – oncle par alliance de Largillierre – et protecteur diligent de Watteau, fut l'un des plus fervents admirateurs de ces maîtres italiens et se trouve sans doute au carrefour du jeu d'influences qui profita alors à notre artiste. Le peintre fait preuve ici d'un remarquable sens de l'artifice, et au réalisme de son clair-obscur, il oppose la fausse naïveté de son dessin pour donner à l'épisode le charme tendre, un peu désuet, de l'imagerie pieuse. Ces maniérismes de style, tout à fait volontaires, cherchent non seulement à mettre le sujet en résonance par rapport à lui-même, mais encore à distancier le style du peintre relativement à l'évolution générale de la peinture de son temps. Plus qu'une méditation sur la Nativité, il s'agit ici d'une spéculation sur le devenir possible de la peinture d'histoire, dont Largillierre est parfaitement conscient qu'il lui faut se régénérer. Peints vers 1730, ces deux tableaux suivent de peu le concours organisé en 1727 à l'initiative du duc d'Antin, surintendant des Bâtiments du roi, afin de redonner son lustre au grand genre, quelque peu négligé dans les années 1710 au profit du portrait et de la scène galante (voir suite de la notice au n° 19).

• Historique : *peut-être le tableau inventorié chez l'artiste le 26 mars 1746 : « Item un tableau représentant une Cresche, prisé cent cinquante livres » (Lastic, 1981, p. 25, n° 111).* • Expositions : *jamais exposé.* • Bibliographie : *inédit.* • Œuvres en rapport : *pendant du numéro suivant.*

Vers 1730
H/t, 0,825 x 0,655 m
Paris, Compagnie des prêtres de Saint-Sulpice

N° 19 *Adoration des mages*

Comme son pendant, ce tableau fut conçu dans un contexte artistique très propice à l'expérimentation de nouveaux partis pris stylistiques pour l'ensemble de l'école française (voir notice du n° 18). Les années 1730, qui voient s'affirmer les personnalités de Jean-François de Troy, François Lemoyne ou Noël-Nicolas Coypel, furent en effet décisives dans le passage d'un art encore marqué par la rhétorique du Grand Siècle à une esthétique de la grâce dont François Boucher, Charles-Joseph Natoire ou Carle Van Loo allaient devenir les meilleurs représentants. Très impliqué dans la vie de l'Académie royale et directeur de cette institution de 1738 à 1742, Largillierre ne pouvait qu'être extrêmement sensible à cette évolution et, à tout le moins, interroger à sa façon la vie des formes. Son goût naturel pour la captation et l'assimilation des influences l'obligeait en quelque sorte à relever lui-même le défi qui se posait à la jeune génération. Ces deux tableaux sont donc l'expression convulsive de préoccupations esthétiques nourries : leur composition flottante, leur dessin soudain très souple, leurs formes boursouflées, leur coloris tendre et leur goût sucré témoignent de la volonté de Largillierre – âgé d'environ 75 ans ! – de participer activement à l'élaboration d'un nouvel imaginaire pictural. Une comparaison avec des tableaux d'histoire antérieurs, comme l'*Entrée du Christ dans Jérusalem* (vers 1705-1715, n° 20) ou même le *Portement de croix* (vers 1715-1720, n° 22), est des plus révélatrices de cette évolution tardive du maître. Négligeant sans doute un peu ce qui relève de la syntaxe (invention, narration, disposition), le peintre a tendance à se concentrer ici sur le seul vocabulaire pictural (effets locaux de forme, de lumière ou de couleur). Voilà qui explique l'apparence naïve de ses personnages, de ses rois mages par exemple, comme le caractère un peu anecdotique de leurs costumes ou des objets qu'ils apportent. Étrangement, aux influences vénitiennes parfois très sensibles (le roi agenouillé à contre-jour, au premier plan, faisant repoussoir), se mêlent des références à la peinture espagnole : la figure de Joseph, tant dans l'*Adoration des mages* que dans la *Nativité*, n'est pas sans rappeler la suavité d'un Murillo, influence incontestable dès 1696 dans un portrait comme celui de Nicolas-Jean-Baptiste Hallé (repr. p. 29), référence difficilement explicable où se révèle l'insatiable curiosité de Largillierre. Mais au-delà de ces influences, le peintre sait aussi faire valoir ce qui constitue son fonds propre : ses anges au visage enfariné, au regard absent, aux cheveux poudrés, sont comme les transpositions célestes, comme les âmes devenues anonymes et universelles des modèles de ses nombreux portraits.

• **Historique :** *peut-être le tableau inventorié chez l'artiste le 26 mars 1746 : « Item un tableau représentant l'Adoration des Roys, estimé cent cinquante livres » (Lastic, 1981, p. 25, n° 112).* • **Expositions :** *jamais exposé.* • **Bibliographie :** *inédit.* • **Œuvres en rapport :** *pendant du numéro précédent.*

Vers 1730
H/t, 0,825 x 0,655 m
Paris, Compagnie des prêtres de Saint-Sulpice

N° 20 *L'Entrée du Christ dans Jérusalem*

Parmi les œuvres particulièrement originales que l'on pouvait voir chez Largillierre se trouvait une belle et grande série sur la vie et la passion du Christ. Plusieurs auteurs l'ont évoquée très tôt, notamment Dezallier d'Argenville : « La belle maison qu'il avoit fait bâtir à Paris, étoit ornée de tous côtés des productions de son génie ; sans parler d'un grand nombre de portraits, qu'on faisoit monter à quinze cens, on y remarquoit plusieurs tableaux de la vie de Jesus-Christ & de la Vierge ; sçavoir, l'annonciation, le jardin des Oliviers, l'entrée en Jérusalem, un portement de croix, une élévation de croix, un crucifiement, le moment que Notre-Seigneur expire, appelé *le Consommatum est* ; Notre-Seigneur mis au tombeau… » (1762, p. 301). L'ensemble se retrouve à la fois dans l'inventaire après décès du peintre, dressé le 26 mars 1746 (voir Lastic, 1981), et dans le catalogue de la vente du cabinet de l'artiste, faite à Paris le 14 janvier 1765. Il n'en subsiste plus aujourd'hui que le tableau d'Arras, le *Portement de croix du Louvre* (n° 22) et l'*Élévation de la croix* (Gênes, collection particulière en 1989). La belle unité de la composition, l'articulation parfaitement cohérente des rythmes et du clair-obscur, le dessin ferme et la facture vigoureuse permettent de dater cette *Entrée du Christ dans Jérusalem* des premières années du XVIIIe siècle, antérieurement au *Portement de croix* déjà cité, plus maniéré, et assurément avant la *Nativité* (n° 18) et l'*Adoration des mages* (n° 19), d'un style encore plus ampoulé.

• **Historique :** *peint par Largillierre pour sa maison de la rue Geoffroy-l'Angevin ; cité dans l'inventaire après décès de l'artiste, le 26 mars 1746, et prisé 500 livres (Archives nationales, Minutier central, XIV, 329, f° 21 recto, n° 15) ; vente Largillierre, Paris, 14 janvier 1765, p. 3, n° 3 ; galerie Mayno en 1834 ; collection de La Comble en 1928 ; vente, Paris, palais Galliera, 3 décembre 1969, n° 65, repr. ; Paris, galerie Jean Cailleux ; acquis par le musée en 1972.* • **Expositions :** *1834, Strasbourg, n° 64 ; 1928, Paris, p. 43, n° 130 (2e éd.) ; 1975, Bruxelles, p. 95, n° 48, repr. p. 101 ; 1980, Dunkerque, Valenciennes, Lille, p. 119-121, n° 63, repr. p. 120 ; 1981, Montréal, p. 56-58, n° 4, repr. p. 56 ; 1985, Lille, p. 112, n° 69, repr. p. 36 et 113, fig. 69.* • **Bibliographie :** Mercure de France, *mars 1746, p. 213-214 ; Dezallier d'Argenville, 1762, p. 301 ; Horsin Déon, 1851, p. 43 ; Mariette, 1854-1856, p. 62 ; Mantz, 1893b, p. 302 ; Gronkowski, 1928, p. 337-338 ; Pascal, 1928a, p. 77, n° 208 ;* Beaux-Arts, *1er juillet 1928, n° 13, p. 196, repr. ; Vilain, 1972, p. 353 ; Maison et Rosenberg, 1973, p. 91, repr. p. 92, fig. 6 ; Lastic, 1981, p. 7-8, 24 ; Lastic, 1983a, p. 36 ; Lastic, 1983c, p. 79 ; 1987-1988, Rochester, New Brunswick, Atlanta, p. 39, repr. p. 40 ; Blunt, 1988, p. 398 ; Rosenberg, 1989, p. 245, 247, repr. p. 247, fig. 6 ; Rosenfeld, 1992, p. 49 ; Opperman, 1996, p. 790 ; Brême, 1998, p. 25, 31, repr. p. 24, fig. 20 ; Notter et Ambroise, 1998, p. 93, repr. p. 94, fig. 91.* • **Œuvres en rapport :** *appartenait à une série de tableaux sur la passion du Christ (voir notice ci-dessus) ; le musée des Beaux-Arts d'Arras a acquis, en 1975, un dessin de François Roëttiers d'après le tableau de Largillierre, très vraisemblablement préparatoire à une gravure qui, semble-t-il, ne fut pas réalisée.*

Vers 1705-1715
H/t, 1,31 x 1,63 m
Arras, musée des Beaux-Arts (inv. 972.1.2)

N°21 Crucifixion

La verticalité accusée de cette superbe composition n'est pas sans rappeler les modèles flamands dont avait pu se nourrir Largillierre durant ses jeunes années passées à Anvers. Plusieurs compositions de Rubens, et particulièrement *Les trois croix* (vers 1620, Rotterdam, musée Boymans-Van Beuningen), développent sur le même thème un sentiment tragique d'une égale intensité. Cette tension verticale fait valoir en effet le fond même du drame qui se noue : celui d'une âme abandonnant un corps déchu, celui de l'esprit arraché à la matière. La croix très sombre se confondant presque avec les cieux, le Christ semble tendre de lui-même, désespérément, les bras vers son propre sauveur. Au pied de la croix se voit un crâne qui désigne non seulement le lieu où Jésus fut crucifié, le Golgotha (« le lieu du crâne »), mais rappelle également que, selon une légende apparue à l'époque médiévale, l'instrument du supplice aurait été taillé dans le bois d'un acacia qui aurait poussé sur la tombe d'Adam. Dans un mouvement de compression du temps, la boucle se fermerait ainsi en rapprochant soudain, dans un espace aussi réduit et concret que le propos est étendu et abstrait, le vecteur du péché originel et celui de la rédemption universelle. S'inspirant du seul évangile de saint Jean (XIX, 20), Largillierre a porté sur le *titulus* le fameux « Jésus de Nazareth, roi des Juifs » en trois langues différentes (hébreu, grec et latin). Au loin, une Jérusalem désormais déserte se confond avec la minéralité froide du paysage, stérile et désolé. L'attribution de ce tableau à Largillierre pourra surprendre. Elle nous paraît néanmoins incontestable : la gamme chromatique, raffinée jusque dans les tonalités les plus dures, opposant la lumière blafarde du corps de Jésus aux vapeurs orangées et brûlantes de l'horizon ; le modelé vigoureux de l'anatomie noueuse où se mêlent lumières, couleurs et matières en un jeu d'interdépendances parfaitement maîtrisé ; le dessin très caractéristique du *subligaculum* qui ceint les hanches du Christ, tout ici désigne la picturalité précieuse du grand portraitiste. Il n'est pas douteux, d'ailleurs, que la proximité d'autres œuvres religieuses, dans le cadre de cette exposition, permette d'utiles comparaisons. Nous ignorons tout, malheureusement, des origines et de l'histoire de cette superbe composition. Fut-elle peinte par Largillierre pour sa propre collection, comme la plupart de ses tableaux religieux ? Nous n'en trouvons nulle trace ni dans l'inventaire de ses biens (1746) ni dans la vente de son cabinet (1765). Une datation autour de 1700 paraît appropriée : le dessin serré et anguleux des étoffes, en effet, tient encore des années 1680-1695, tandis que la charge de matière correspond davantage aux œuvres des premières années du XVIIIe siècle. Animé par une foi sincère, et donc soucieux de la lisibilité de son propos, Largillierre n'est pas sans s'inspirer des grands exemples classiques, tel celui du *Christ mort sur la croix* de Philippe de Champaigne (1655, Grenoble, musée des Beaux-Arts). Il entend néanmoins insuffler un sang neuf – et le sujet s'y prête – à cette esthétique méditative et, tel son oncle Charles de La Fosse (*Christ en croix*, vers 1685-1690, Orléans, musée des Beaux-Arts), renoue avec le lyrisme contre-réformiste de Rubens.

• **Historique** : *acquis en 2001 dans le commerce d'art parisien par l'actuel propriétaire.* • **Expositions** : *jamais exposé.* • **Bibliographie** : *inédit.*

Vers 1700
H/t, 1,27 x 0,70 m
France, collection particulière

IESVS NAZARENVS
REX IVDEORVM

N°22 Le Portement de croix

Autre élément de la série réalisée par Largillierre sur la passion du Christ (voir notice du n° 20), ce *Portement de croix* est sans doute postérieur de quelques années à l'*Entrée du Christ dans Jérusalem* du musée d'Arras. La cohérence plastique en est en effet moins grande, la liaison des formes moins naturelle et l'exécution un peu plus sèche. Les grands vides ménagés par le peintre dans sa composition, le lourd rocher dominant le drame, la représentation presque rembranesque du temple de Jérusalem, à droite, confèrent au tableau un ton très pathétique. Cet expressionnisme est renforcé par la tension très grande des personnages qui animent la scène : le groupe de la Vierge, de saint Jean et des Saintes Femmes, à droite, celui du Christ exsangue qui s'effondre sous la croix, au centre, et celui des figures éplorées, à gauche, constituent une chaîne organique secouée de spasmes passionnels assez inattendus dans cet univers presque lunaire. Le détail du chien buvant dans une mare, au premier plan, rappelle à nouveau Rembrandt, qui symbolisait par ce genre de détail l'animalité première de l'homme oublieux de son salut. En tournant avec ostentation l'arrière-train du chien vers le Christ, le peintre a même renoué avec les obscénités dont le maître néerlandais n'hésitait pas à se rendre parfois coupable, aussi bien dans ses tableaux que dans ses eaux-fortes. Moins soucieux de l'histoire que des effets qu'elle permet de mettre en œuvre, Largillierre inaugure ici les recherches qu'il mènera de façon plus systématique dans les années 1730 (voir n° 18 et 19).

• **Historique :** *peint par Largillierre pour sa maison de la rue Geoffroy-l'Angevin ; cité dans l'inventaire après décès de l'artiste, le 26 mars 1746, et prisé 400 livres (Archives nationales, Minutier central, XIV, 329, f° 23 verso, n° 100) ; vente Largillierre, Paris, 14 janvier 1765, n° 4 ; aurait été un temps sur le marché de l'art milanais ; acquis pour le musée par la Société des amis du Louvre en 1988.* • **Expositions :** *1834, Strasbourg ; 1991, Paris, p. 114-115, repr. p. 115 ; 1997, Paris, p. 146, 276, n° 293, repr.* • **Bibliographie :** Mercure de France, *mars 1746, p. 213-214 ; Dezallier d'Argenville, 1762, p. 301 ; Horsin Déon, 1851, p. 43 ; Mariette, 1854-1856, p. 62 ; Mantz, 1893b, p. 302 ; Gronkowski, 1928, p. 338 ; Pascal, 1928a, p. 77, n° 209 ;* Beaux-Arts, *1er juillet 1928, n° 13, p. 196 ; Jeanneau, 1965, p. 377 ; Maison et Rosenberg, 1973, p. 91 ; 1980, Dunkerque, Valenciennes, Lille, p. 121 ; 1981, Montréal, p. 57 ; Ergmann, 1989, p. 106 ; Lastic, 1981, p. 7-8, 25 ; Rosenfeld, 1982, p. 57 ; Lastic, 1983c, p. 79 ; 1985, Lille, p. 112 ; Blunt, 1988, p. 398 ;* Revue du Louvre, *1988, n° 4, p. 331 (courte note sans auteur sur les nouvelles acquisitions) ; 1988, Rochester, New Brunswick, Atlanta, p. 39 ; Ergmann, 1989, p. 106 ; Rosenberg, 1989, p. 245-248, repr. p. 246, fig. 1 ; Rosenfeld, 1992, p. 49 ; Laclotte et Cuzin, 1993, p. 64 ; Chastel, 1995, p. 240 ; Cabanne, 1997, p. 298 ; Brême, 1998, p. 25, 31, repr. p. 30, fig. 24.* • **Œuvres en rapport :** *appartenait à une série de tableaux sur la passion du Christ (voir notice du n° 20).* • **Gravé par :** *François Roëttiers.*

vers 1715-1720
H/t, 1,32 x 1,63 m
Paris, musée du Louvre (R.F. 1988.12)

N°23 *Moïse sauvé des eaux*

Voyant prospérer en Égypte le peuple d'Israël, Pharaon demanda aux accoucheuses des Hébreux de faire mourir les enfants mâles de cette lignée. Les sages-femmes ne purent s'y résoudre. Pharaon alors demanda que les fils d'Israël fussent jetés dans le Nil. Une femme de la maison de Lévi cacha durant trois mois l'enfant qu'elle venait de mettre au monde, puis le déposa dans une corbeille de papyrus, parmi les roseaux du fleuve. La sœur de Moïse se tint à distance, pour voir ce qu'il adviendrait de son jeune frère. La fille de Pharaon, qui venait se baigner avec ses suivantes dans les eaux du grand Nil, découvrit l'enfant, désira qu'il fût élevé pour elle et, à la demande de la sœur de Moïse, accepta que la jeune mère fût sa nourrice (*Exode*, II, 1-10). Préfiguration dans l'Ancien Testament du massacre des Innocents et de la fuite en Égypte, cet épisode inspira plus d'un artiste français de l'époque classique (Nicolas Poussin, Sébastien Bourdon, Eustache Le Sueur, entre autres). Charles de La Fosse, en 1701, donna une interprétation sulfureuse de cette histoire (musée du Louvre), véritable magma rembranesque, lié par un dessin organique et par une harmonie chromatique des plus denses. Chez Largillierre, le portraitiste reprend le dessus : l'événement est mondain et se passe dans un parc, à proximité d'un palais qui n'a d'égyptien que les obélisques qui en ornent l'attique. Dans le parc luxuriant, un sphinx de pierre et deux palmiers turbulents achèvent de planter un décor supposé exotique. De Nil, point. Sous un parasol à lambrequins paraît la fille de Pharaon, vêtue d'une somptueuse robe de satin bleu, accompagnée de ses suivantes, non moins élégantes. Un page, une petite levrette et un épagneul se mêlent au cortège. Dans une atmosphère baignée d'or, deux coups de lumière valorisent fort à propos la princesse et l'enfant. Mais peu soucieux d'exégèse, Largillierre prend simplement le parti du luxe et de la joie.

• **Historique :** *peut-être peint par Largillierre pour sa maison de la rue Geoffroy-l'Angevin ; cité dans l'inventaire après décès de l'artiste, le 26 mars 1746, et prisé 150 livres (Archives nationales, Minutier central, XIV, 329, f° 23 verso, n° 114) ; peut-être vente Largillierre, Paris, 14 janvier 1765, p. 4, n° 8 ; collection de Mme Dauban ; donné par elle au musée du Louvre en 1933.* • **Expositions :** *1928, Paris, p. 43, n° 131 (2e éd.) ; 1960b, Paris, p. 138, n° 639.* • **Bibliographie :** *Gronkowski, 1928, p. 338 ;* Beaux-Arts, *1er juillet 1928, n° 13, p. 196, repr. ; Laclotte, 1972, p. 227 ; Maison et Rosenberg, 1973, p. 91, repr. p. 92, fig. 5 ; Rosenberg, Reynaud et Compin, 1974, p. 279, n° 421, repr. p. 196, fig. 421 ; 1980, Dunkerque, Valenciennes, Lille, p. 121 ; 1981, Montréal, p. 58, repr. p. 59, fig. 4d ; Lastic, 1981, p. 7, 25 ; Rosenfeld, 1982, p. 58, repr. p. 59, fig. 4d ; 1985, Lille, p. 112 ; Compin et Roquebert, 1986, p. 32 ; Rosenberg et Stewart, 1987, p. 209 ; 1988, Rochester, New Brunswick, Atlanta, p. 39 ; Ergmann, 1989, p. 182 ; Rosenberg, 1989, p. 245, repr. p. 246, fig. 3 ; Rosenfeld, 1992, p. 48-49, 52, note 58, repr. p. 49, fig. 10 ; Cabanne, 1997, p. 298 ; Brême, 1998, p. 31, repr. p. 70-71, fig. 60.*

1728
H/t, 0,74 x 0,92 m
Signé et daté, en bas à droite : « Peint/par N./de/Largillierre/1728 »
Paris, musée du Louvre (R.F. 3790)

N°24 Vénus et Adonis

Tirée du livre X des *Métamorphoses* d'Ovide, l'histoire raconte comment Vénus, égratignée par une flèche de Cupidon qui lui donnait un baiser, tomba amoureuse d'Adonis. En vain la déesse essaya de s'attirer l'amour de celui qui ne pensait qu'à la chasse. Délaissant les lieux qui lui étaient consacrés, Vénus devint presque la rivale de Diane et, avec le bel Adonis, forçait le gibier dans les sous-bois. Jamais elle ne put assouvir son désir et toujours elle dut essayer de retenir, inutilement, l'objet de son amour. Maintes fois elle le mit en garde contre son intempérance, et lui fit valoir le risque que représentait pour lui les animaux sauvages. Adonis ne l'écouta pas et, un jour qu'il poursuivait un sanglier, il vit la bête se retourner contre lui, l'attaquer et périt. Du sang du héros répandu sur le sol naquirent les anémones. Comme beaucoup d'artistes avant lui, Largillierre a choisi de représenter le moment le plus tendre de l'épisode, celui où Vénus tente de retenir Adonis auprès d'elle. Ce simple geste, en effet, évoque tout à la fois le sentiment de la déesse et le seul contact physique qu'elle put avoir avec celui qui ne fut jamais son amant. Assise sur une grande draperie rouge, symbolisant le lieu d'éventuels ébats érotiques, Vénus, le visage triste, enlace un des bras d'Adonis qui, debout, fait résistance et lui échappe. Dans un geste dérisoire, Cupidon essaie d'aider sa mère, retient lui aussi le jeune homme et semble vouloir arracher la grande draperie orangée qui cache sa nudité. Accompagné d'un grand chien, Adonis se cambre et, d'un pied sur l'autre, fait un mouvement tournant pour échapper aux avances de la déesse. Tenant fermement sa pique, il semble affirmer que sa virilité est entièrement vouée à l'art cynégétique. À l'arrière-plan, une forêt profonde et sombre sert de théâtre à ce petit drame amoureux. La représentation de cet épisode convenait très bien au peintre qui, lui-même, semble avoir voulu échapper aux sujets légers et en particulier érotiques. Il est à noter d'ailleurs que le tableau que nous présentons est aujourd'hui la seule œuvre à sujet mythologique connue de Largillierre. Son inventaire après décès, dressé le 26 mars 1746, en comprend d'ailleurs fort peu : un *Apollon et Daphné*, un *Pan et Syrinx*, un *Zéphire et Flore*, une *Érigone*, un *Jupiter changé en taureau*, une « naïade », une « fête au dieu Pan » et un « jeu d'amour » (Lastic, 1981, p. 23-26). Les formes rondes de Vénus, le manteau bleu pâle qui couvre sa robe de satin blanc, les empâtements nourris où textures et couleurs se confondent, l'aspect flottant de la composition, tout désigne ici une œuvre tardive de l'artiste, assurément proche de la *Nativité*, de l'*Adoration des mages* et du *Moïse sauvé des eaux*. Comme dans ces tableaux, Largillierre se montre moins intéressé par la portée morale ou poétique du sujet que par le déploiement d'une pure fantaisie picturale.

• **Historique** : *vente, Londres, Christie's, 9 avril 2003, p. 110-111, n° 81, repr. p. 111 ; acquis lors de cette vente par l'actuel propriétaire.* • **Expositions** : *jamais exposé.* • **Bibliographie** : *inédit.*

Vers 1725
H/t, 0,835 x 0,645 m
France, collection particulière

N° 25, 26 Académies

Héritière de l'ancienne Académie royale de peinture et de sculpture, l'École nationale supérieure des Beaux-Arts conserve aujourd'hui un fonds remarquable et très précieux d'études académiques : il s'agit, pour beaucoup, de dessins exécutés pour l'exemple par les professeurs en exercice, au cours des quelque 150 ans que vécut l'institution. Élu adjoint à professeur le 4 juillet 1699, puis professeur le 30 juin 1705, Largillierre y enseigna jusqu'en septembre 1715 : huit feuilles subsistent de cette activité professorale (voir aussi les n° suivants), qui furent longtemps les seuls témoins que l'on eut pour se faire une idée du graphisme d'un artiste dont les dessins sont de la plus insigne rareté (voir p. 55). De nombreux auteurs ont noté combien les études académiques de Largillierre tranchent avec la conception classique dont le genre même procède : la lisibilité des différentes parties du corps est en effet l'enjeu de l'exercice, et le dessin anatomique appelle normalement un graphisme à la fois clair et continu, définissant les limites des formes et négligeant à l'ordinaire la suggestion de l'espace se développant alentour. La pose équilibrée de la figure, calme et élégante, issue de la statuaire antique, doit ainsi exprimer non pas un état passionnel, mais la beauté intérieure de quelque demi-dieu touché par la grâce. Une lumière diffuse modèle alors des volumes peu contrastés, animés tout au plus d'ombres légères et transparentes. D'emblée Largillierre rompt avec cette tradition de l'exercice académique : la tension de la pose exprime la volonté du modèle de participer à quelque action l'impliquant dans une certaine histoire à un moment donné : n'importe quelle histoire à n'importe quel moment. Un contraste appuyé, servi par des ombres denses et des rehauts de blanc nourris, ajoute à la véhémence d'un geste où l'être se définit essentiellement comme volonté de puissance. L'expression tendue du visage suggère une psychologie réactive et changeante, en un mot humaine, incapable de la distance ou du détachement auxquels se reconnaît le héros stoïque, si cher à l'idéal classique.

◀ **[25] Homme assis, coiffé d'un bonnet**
1701
Pierre noire et rehauts de blanc, 0,499 x 0,409 m
Signé et daté en bas à droite : « de Largillierre/adjuvit Mars 1701 »
Paris, ENSBA (inv. 2991)

▶ **[26] Homme assis, portant un casque de guerrier**
Vers 1701-1705
Pierre noire et rehauts de blanc, 0,551 x 0,425 m
Annoté en bas à gauche : « Largiliere »
Paris, ENSBA (inv. 2997)

[25] • HISTORIQUE : *fonds de l'Académie royale de peinture et de sculpture.* • EXPOSITIONS : *1981, Montréal, p. 187-189, n° 33, 194, repr. p. 187.* • BIBLIOGRAPHIE : *Lavallée, 1921, p. 107-113 ; Pascal, 1928a, p. 79, n° 219 (« six études d'académies ») ; Lastic, 1976, p. 153 ; Rosenberg, 1976, p. 86 ; Lastic, 1983c, p. 76 ; Roland-Michel, 1987, p. 66 ; Opperman, 1996, p. 790.*

[26] • HISTORIQUE : *fonds de l'Académie royale de peinture et de sculpture.* • EXPOSITIONS : *1981, Montréal, p. 194, n° 37, repr.* • BIBLIOGRAPHIE : *Lavallée, 1921, p. 107-113; Pascal, 1928a, p. 79, n° 219 ; Lastic, 1976, p. 153 ; Rosenberg, 1976, p. 86 ; Lastic, 1983c, p. 76 ; Roland-Michel, 1987, p. 66 ; Opperman, 1996, p. 790.*

N°27, 28 Académies

Cette conception expressionniste de l'étude anatomique (voir la notice des n° précédents) est à peu près sans équivalent dans l'école française de l'époque. Aucun des grands coloristes de ce temps n'a, en effet, forcé à ce point le trait. Certains ont cherché à donner au dessin académique une plus grande picturalité (Charles de La Fosse, Antoine Coypel, Louis de Boullogne le jeune) par l'usage de techniques suggérant efficacement les inflexions de la lumière et de la couleur (papier bleu, estompe ou trois crayons), mais dans le respect de la forme et de la proportion. D'autres ont préféré charpenter puissamment leurs études (Jean Jouvenet). Mais nul plus que Largillierre ne s'est efforcé de penser en peintre le dessin académique, jusqu'à presque transgresser les lois du genre : l'articulation logique de tous les éléments plastiques s'y fait plus par une sorte de toucher graphique très ponctuel que par le développement continu du trait ; les volumes des corps priment sur leurs limites, et leur inscription dans un espace trouvant lui-même sa substance occupe l'artiste plus que la précision anatomique ou la beauté formelle des figures. Rien n'est plus étonnant que ce personnage vu de dos (n° 27), regardant un paysage qui prend une place bien grande par rapport à l'étude anatomique proprement dite. Il semble même que le modèle, par son attitude, invite le spectateur à contempler avec lui le motif de ce cours d'eau contenu par une berge moussue et buissonneuse sur laquelle se déplace bien vite l'attention. Le choix d'un sujet tel que *Laocoon attaqué par les serpents* (n° 28) permet à Largillierre d'insuffler à son dessin un élan convulsif particulièrement adapté à son vocabulaire graphique : mouvements et volumes s'accordent en effet pour donner à l'espace cette corporéité puissante qui sert de mobile à l'ensemble de son œuvre.

◀ **[27] Homme assis, vu de dos, près d'un cours d'eau**
Vers 1701-1705
Pierre noire et rehauts de blanc, 0,430 x 0,585 m
Annoté en bas à droite : « Largilliere »
Paris, ENSBA (inv. 2995)

[27] • Historique : *fonds de l'Académie royale de peinture et de sculpture.* • Expositions : *1928, Paris, p. 39, n° 122 (1re éd.), p. 45, n° 139 (2e éd.) ; 1933, Paris, p. 27, n° 81 ; 1981, Montréal, p. 193, n° 36, repr.* • Bibliographie : *Lavallée, 1921, p. 107-113 ; Pascal, 1928a, p. 79, n° 219 (« six études d'académies ») ; Lastic, 1976, p. 153 ; Rosenberg, 1976, p. 86 ; Lastic, 1983c, p. 76 ; Roland-Michel, 1987, p. 66 ; Opperman, 1996, p. 790.*

[28] • Historique : *fonds de l'Académie royale de peinture et de sculpture.* • Expositions : *2000-2001, Paris, p. 428-429, n° 233, repr. p. 428.* • Bibliographie : *Lavallée, 1921, p. 107-113 ; Pascal, 1928a, p. 79, n° 219 (« six études d'académies ») ; Lastic, 1976, p. 153 ; Rosenberg, 1976, p. 86 ; 1981, Montréal, p. 188, 194, repr. p. 189, fig. 33b ; Lastic, 1983c, p. 76 ; Roland-Michel, 1987, p. 66 ; Opperman, 1996, p. 790.*

▶ **[28] Laocoon attaqué par les serpents**
Vers 1701-1705
Pierre noire et rehauts de blanc, 0,535 x 0,404 m
Signé en bas à droite : « De Largillierre / Juillet 170(?) »
Paris, ENSBA (inv. 2994)

N°29, 30 Académies

Ces deux feuilles démontreront avec éclat que le dessin académique, loin de contraindre la main d'un artiste, la libère au contraire en lui offrant un répertoire particulièrement riche de lignes, ombres et lumières, idéalement articulées, par lesquelles éprouver la permanence et l'originalité d'un style : il n'y a que les artistes médiocres et les critiques frileux pour chercher l'anonymat dans le travail académique. Les cheveux bouclés de cet homme étendu (n° 29), tirés en arrière et traités d'une pierre noire épaisse, l'expression tendue et presque agressive de son visage suffisent à reconnaître la main de Largillierre. Sa volonté d'exprimer la vie organique qui traverse à la fois le corps et sa représentation se manifeste d'emblée à l'œil le moins attentif. Assurément respectueux de la pose générale du modèle – d'ailleurs choisie par lui en tant que professeur – l'artiste y superpose des éléments qui lui sont propres, telles ces mains que l'on trouve à l'identique dans certains de ses portraits et qui ne peuvent avoir appartenu au modèle, telles aussi ces herbes folles alentour. Ce parti pris du style est encore plus sensible dans le spectaculaire *Titan foudroyé* (n° 30) : la pose, que le modèle bien calé put en effet tenir, est rendue plus incertaine par le déséquilibre où il se trouve au milieu de ces rochers imaginaires ; l'expression révulsée, plaquée comme un masque sur le visage, et les éclairs de craie blanche qui fendent l'air, transforment l'exercice didactique en véritable vision d'apocalypse. La profondeur des ombres et l'intensité des rehauts de blanc, concentrés à proximité de la tête, s'opposent en un contraste luministe qui théâtralise plus encore la représentation. Posées plus légèrement, en traces ondulées, en sillons presque parallèles, la pierre noire et la craie blanche parcourent d'un mouvement incessant le corps et les rochers, comme pour achever de déstabiliser notre regard.

◀ **[29] Homme étendu, la tête tournée vers la droite**
Vers 1701-1705
Pierre noire et rehauts de blanc, 0,411 x 0,540 m
Annoté en bas à gauche : « Largilliere »
Paris, ENSBA (inv. 2996)

[29] • Historique : *fonds de l'Académie royale de peinture et de sculpture.* • Expositions : *1928, Paris, p. 38, n° 121 (1re éd.), p. 45, n° 138 (2e éd.)* • Bibliographie : *Lavallée, 1921, p. 107-113 ; Pascal, 1928a, p. 79, n° 219 (« six études d'académies ») ; Lastic, 1976, p. 153 ; Rosenberg, 1976, p. 86 ; 1981, Montréal, p. 188, 193, repr. p. 188, fig. 33a ; Lastic, 1983c, p. 76 ; Roland-Michel, 1987, p. 66 ; Opperman, 1996, p. 790.*
[30] • Historique : *fonds de l'Académie royale de peinture et de sculpture.* • Expositions : *1928, Paris, p. 39, n° 123 (1re éd.), p. 45, n° 140 (2e éd.) ; 1981, Montréal, p. 188, 190-191, n° 34, 194, repr. p. 190.* • Bibliographie : *Lavallée, 1921, p. 107-113 ; Pascal, 1928a, p. 79, n° 219 ; Vallery-Radot, 1963, p. 207, repr. p. 131 ; Borries, 1967, p. 203, 204, repr. fig. 138 ; Lastic, 1976, p. 153 ; Rosenberg, 1976, p. 86 ; Lastic, 1983c, p. 76 ; Roland-Michel, 1987, p. 66 ; Opperman, 1996, p. 790 ; Brême, 1998, p. 39, repr. p. 38, fig. 28.*

▶ **[30] Titan foudroyé**
1706
Pierre noire et rehauts de blanc, 0,40 x 0,562 m
Signé et daté, en bas au centre, sur un bloc de pierre : « N. De/Largillierre 1706 »
Paris, ENSBA (inv. 2992)

N. De
Largillierre
59

N°31 Académie

Dans un graphisme très proche des deux feuilles précédentes, et qui semble bien caractériser les années les plus tardives du professorat de Largillierre, cette étude nous montre cette fois un homme assis, accoudé, dans une position des plus méditatives. Le visage grave retiendra particulièrement l'attention, de même que la main serrée sur le haut du tibia : la tension de ce simple geste conditionne toute l'énergie qui traverse le bras, depuis les veines gonflées de l'avant-bras jusqu'au deltoïde écrasé de lumière blanche de l'épaule, en passant par le coude noueux, le biceps et le triceps, tous deux étrangement sollicités (leur activité normale est en raison inverse l'une de l'autre). Avec beaucoup de bonheur, Largillierre a prolongé dans la jambe tendue l'énergie qui anime le bras, et nous ne pouvons souscrire à l'opinion de Rosenfeld, qui écrivait en 1981, à propos de l'anatomie de cette figure, qu'elle est « malhabilement rendue » (1981, Montréal, p. 192). L'ambition de l'artiste étant de faire valoir d'abord et avant tout, non une certaine réalité anatomique, mais la capacité du modèle à s'inscrire par le volume dans un espace chargé de lumière, il s'ensuit que le grief de disproportion ou d'incohérence physique ne peut lui être fait. Il faut bien davantage s'arrêter sur la qualité exceptionnelle des rehauts de blanc qui modèlent la jambe au premier plan. Et plutôt que d'évaluer le talent de Largillierre à l'aune de l'académie classique, mieux vaut le considérer en fonction des buts que l'artiste s'était lui-même fixé. Il est vrai que la picturalité du dessin est telle et que l'impatience à exprimer l'énergie plus que l'aspect du corps y est à ce point sensible, qu'il faut y voir l'enjeu quasi exclusif des études de Largillierre. Il se pourrait même que l'artiste, naturellement expansif, ait souhaité abandonner son enseignement, en 1715, après avoir poussé le paradoxe aussi loin qu'il le pouvait et s'être lassé des limites que lui imposait l'exercice. En dépit de leur adhésion à l'esthétique rubéniste, de Troy et Rigaud se montrèrent beaucoup plus mesurés (sur de Troy, voir Brême, 1997c, p. 139-140 ; sur Rigaud, voir 2000, Meaux, p. 30-31, fig. 28 et 29). Une huitième académie de Largillierre est encore connue, plus tardive (signée et datée « 1709 et 1710 ») : elle réunit deux hommes luttant dans un jeu de clair-obscur riche et complexe, modulé de valeurs infiniment variées (New York, Metropolitan Museum ; 1981, Montréal, p. 195, n° 38, repr.).

• **Historique** : *fonds de l'Académie royale de peinture et de sculpture.* • **Expositions** : *1928, Paris, p. 39, n° 124, repr. pl. XVI (1re éd.), p. 45, n° 141, repr. pl. XVI (2e éd.) ; 1933, Paris, p. 26, n° 79 ; 1956, Bristol, n° 41 ; 1981, Montréal, p. 188, 192, n° 35, p. 193, 194, repr. p. 192.* • **Bibliographie** : *Lavallée, 1921, p. 107-113 ; Pascal, 1928a, p. 79, n° 219 (« six études d'académies »), repr. pl. XXXI ; Borries, 1967, p. 206 ; Lastic, 1976, p. 153 ; Rosenberg, 1976, p. 86 ; Opperman, 1977, t. I, p. 11-12, t. II, p. 974, repr. fig. 4 ; Lastic, 1983c, p. 76 ; Roland-Michel, 1987, p. 66 ; Opperman, 1996, p. 790.*

Homme assis, accoudé
1707
Pierre noire et rehauts de blanc, 0,578 x 0,420 m
Signé en bas, au centre, sur le bloc de pierre :
« De/Largillierre/Julliet/1707 »
Paris, ENSBA (inv. 2993)

N°32 Étude pour un portrait de femme

À propos des dessins de Largillierre, Dezallier d'Argenville précise que « la plume y est fort rarement employée, excepté dans les croquis » (1762, p. 203). Cette petite feuille pourrait bien être le premier exemple connu de ces « croquis », dont on ne peut que regretter l'extrême rareté. Outre le fait que ce dessin porte une attribution ancienne à Largillierre, l'ensemble du projet présente des caractéristiques formelles assez nombreuses pour que nous en soutenions l'attribution au maître : la mise en page, la pose du modèle, le port de la tête, la gestuelle, le décor composé d'une lourde draperie et d'une colonnade sont autant de particularités dont la combinaison ne peut guère conduire qu'à notre artiste. La datation par la coiffure du modèle, vers 1695, est un argument supplémentaire et non des moindres : peu d'artistes français étaient alors capables d'adopter cette ambitieuse rhétorique. Seuls François de Troy et Hyacinthe Rigaud pouvaient y prétendre. Les dessins du premier sont aujourd'hui assez bien connus (voir Brême, 1997c) et, s'il s'en trouve à l'encre, ils sont plus volontiers au lavis qu'à la plume (*id.*, p. 113, 114), ou le tracé en est plus appliqué (*id.*, p. 150). Quant à Rigaud, ses dessins souvent très précis n'offrent aucun rapport avec cette étude, et se fût-il encore essayé à cette technique – que nous ne lui connaissons pas – qu'il aurait vraisemblablement donné, comme à son habitude, un port plus altier à son modèle. La grâce et surtout la douceur que l'on devine ici, dans le peu que l'on perçoit de l'expression, lui sont étrangères. Enfin, il se trouve dans l'œuvre peint de Largillierre des portraits dont la composition est conçue dans un esprit voisin de celui de notre dessin, tel celui de *Madame de Jumilly* peint vers 1694 (Brême, 1998, repr. p. 58, fig. 49) ou, plus encore, l'imposant *Portrait de madame Neyret de La Ravoye* exécuté vers 1696 et visible au City Art Museum de Saint Louis (*id.*, repr. p. 58, fig. 50).

L'artiste a premièrement posé un léger petit croquis à la sanguine, comparable sans doute à ceux que l'on voit sur une feuille aujourd'hui conservée dans la collection Horvitz (voir Brême, 1998, repr. p. 42), puis il a repris l'ensemble à la plume pour en préciser les détails et en accentuer les masses : le dessin de la manche, à gauche, est animé de brisures anguleuses très caractéristiques de Largillierre, et des hachures nerveuses viennent introduire ici et là quelques ombres. Au dos de la feuille se voient encore le dessin, à la pierre noire, d'une tête d'agneau, et quelques mots écrits à la plume (le début d'un reçu).

• **Historique** : *acquis sur le marché de l'art parisien par l'actuel propriétaire dans les années 1990.*
• **Expositions** : *jamais exposé.* • **Bibliographie** : *Brême, 1998, p. 41-42, repr. p. 43, fig. 35.*

Vers 1695
Plume, encre brune et sanguine, 0,12 x 0,09 m
France, collection particulière

N°33 Étude pour le portrait d'une femme et de ses deux filles

Jadis attribuée à Largillierre, à qui elle fut ensuite retirée (1997-1998, Nantes, Toulouse, p. 262, n° 132), cette belle feuille nous semble aujourd'hui devoir lui revenir en toute certitude. L'économie générale du graphisme est celle en effet que l'on voit à plusieurs dessins du maître, dont, par exemple, la feuille de six petits croquis pour des portraits en bustes conservée dans la collection Horvitz (voir Brême, 1998, repr. p. 42) : drapés anguleux, ombres transparentes faites de vives hachures, évocation sommaire des traits du visage, indication discrète des yeux, du nez et de la bouche, chevelure composée de boucles ouvertes, et surtout très grande rapidité d'exécution, par laquelle Largillierre cherche plus à capter des rythmes qu'à préciser la limite des formes habitant son sujet. Le geste de la petite fille présentant une corbeille de fleurs, à droite, est récurrent chez le peintre (n° 4 et 43 entre autres), de même que la situation du groupe dans un paysage boisé exubérant (par exemple les n° 50, 51, 57 et 59). Le port très droit de la mère, le petit chien couché sur ses genoux, la façon de serrer autour d'elle les deux enfants, les draperies s'évasant largement vers le bas sont autant de détails qui rappellent fortement le beau portrait collectif de la famille de Noailles (n° 49). L'enfant le plus jeune, situé à gauche, porte une robe et un bonnet que l'on voyait alors indifféremment aux petits garçons et aux petites filles : le bonnet à bourrelet, souvent décoré de plumes, avait pour fonction d'amortir les chutes, et l'on voit ici, au dos de la robe, pendre les lisières (familièrement appelées « tatas »), longues bandes d'étoffe qui permettaient à la mère ou à la nourrice de tenir l'enfant debout au moment où il faisait ses premiers pas et de limiter ses déplacements jusqu'à ce qu'il fût en âge de se promener seul.

La coiffure à la Fontanges que porte le modèle principal autorise à dater ce dessin entre 1690 et 1710. L'autorité et le dynamisme de la composition interdisent néanmoins une datation antérieure à 1695, tandis que l'équilibre et la lisibilité de l'ensemble empêchent qu'il soit de beaucoup postérieur à 1705. Une datation autour de 1700 semble donc appropriée et permet un nouveau rapprochement entre ce dessin et le portrait de la marquise de Noailles et de ses deux filles (n° 49), peint vers 1698. Jean-Baptiste Oudry, qui devait rejoindre l'atelier de Largillierre en 1707, fit manifestement un très grand profit de cet exemple, et l'on conserve de lui quelques études dessinées pour des portraits de groupes, dont le graphisme rapide et allusif n'est pas sans rappeler la manière de son maître. Quoique d'une technique plus complexe (plume, encre brune et rehauts de gouache blanche sur papier bleu), l'*Étude pour le portrait du duc de Noailles et de sa famille*, réalisée par Oudry en 1717 (musée du Louvre, département des Arts graphiques), illustre merveilleusement cette filiation et, à rebours, achève de nous convaincre que la feuille de Grenoble revient bien à Largillierre.

• **Historique** : *légué au musée par Léonce Mesnard, en 1886.* • **Expositions** : *1997-1998, Nantes, Toulouse, p. 262, n° 132, repr.* • **Bibliographie** : *Beylié, 1909, n° 147.*

Vers 1700
Pierre noire et rehauts de blanc, 0,268 x 0,204 m
Grenoble, musée des Beaux-Arts (inv. D 200)

N°34 Étude pour un portrait d'homme

Ce dessin représente un homme s'apprêtant à priser du tabac : de sa main gauche il saisit la petite boîte à priser, généralement précieuse, et de la droite tient une pincée de tabac qu'il dirige lentement vers ses narines. Introduit en France au XVIe siècle, cultivé à peu près partout dans le royaume au siècle suivant, le tabac fut évidemment l'objet d'une réglementation rigoureuse et de taxations élevées. Libre jusqu'en 1674, la production fut érigée en monopole royal par Colbert, qui y trouva une importante source de revenus pour le Trésor. Bien que le pape Urbain VIII eût rendu les consommateurs de tabac passibles d'excommunication en 1642 ; bien que Louis XIV, qui abhorrait la plante, eût vainement tenté d'en interdire la consommation à la cour ; bien que le grand Fagon lui-même, en 1699, eût mis en garde contre ses effets néfastes sur la santé, l'usage se répandit de la priser en tous lieux. Plus qu'à l'identité ou à la pose de son modèle, Largillierre s'est ici montré particulièrement attentif à la qualité des gestes par lesquels s'accomplit le rituel, et les trois reprises de mains, alentour, témoignent de sa volonté de précision. L'attribution de cette feuille à notre artiste repose ici encore, en grande partie, sur des liens évidents avec le dessin, très sûr, de la collection Horvitz (Brême, 1998, repr. p. 42). Le tracé rapide et anguleux, l'ovale parfait du visage barré d'une croix, les boucles mousseuses de la coiffure, l'indication sommaire des yeux, de la base du nez et de la bouche par un petit trait horizontal, le dessin très synthétique des mains (à l'exception des reprises), sont autant de caractéristiques formelles très reconnaissables. Une comparaison avec le dessin de Grenoble (n° précédent) ne paraît pas moins décisive et permet de cristalliser enfin le noyau indispensable à la reconstitution de l'œuvre dessiné de Largillierre. Cette feuille, en effet, comme celles de Grenoble et de la collection Horvitz, correspond à un vrai travail d'étude, dont la technique apparaît très différente de celle mise en œuvre par l'artiste dans ses travaux académiques (voir n° 25 à 31). Travaillée en grande partie à l'estompe, la reprise de l'une des mains vue à l'envers, à droite du visage du modèle, assure le lien avec les deux feuilles d'études de mains que nous présentons (n° 38 et 39). Des dessins de Largillierre décrits par Dezallier d'Argenville, il ne manquait apparemment que des exemples de cette sorte. Nous connaissons en effet un croquis à l'encre (n° 32), deux ou trois sanguines (dont le n° 37), les études de mains que le biographe compare à celle de Van Dyck (n° 38 et 39), mais rien ne semblait devoir correspondre à ces dessins dont il dit que l'on y remarque « des têtes négligées, formées par des ovales, ainsi que le pratiquoit le Poussin » (Dezallier d'Argenville, 1762, p. 203). La forme parfaitement ovoïde de la tête ici tracée et l'absence de toute caractéristique physionomique sensible sont en effet très remarquables et correspondent bien à cet anonymat de principe dont Poussin revêtait ses figures. Mais la comparaison avec le grand maître classique s'arrêtera là.

• **Historique** : *Paris, galerie Paul Prouté ; acquis sur le marché de l'art parisien par l'actuel propriétaire.* • **Expositions** : *jamais exposé.* • **Bibliographie** : *inédit.*

Vers 1700
Pierre noire et rehauts de blanc, 0,277 x 0,217 m
France, collection particulière

N°35 Étude pour le portrait de Jean-Baptiste Forest

En 1699, Largillierre épousa Marguerite-Élisabeth Forest, fille du paysagiste Jean-Baptiste Forest et nièce par alliance du peintre Charles de La Fosse, alors directeur de l'Académie royale de peinture et de sculpture. Cinq ans plus tard, notre artiste présentait au Salon un portrait de son beau-père, aujourd'hui conservé au musée des Beaux-Arts de Lille. Assis devant un chevalet où se voit un paysage tourmenté, Forest, une palette à la main, ignore superbement le spectateur et, l'air grave, scrute quelque point de l'horizon, hors du tableau. La tête couverte d'un bonnet de velours noir dont la calotte est faite de tissu jaune broché d'or, le peintre est vêtu d'une lourde robe de chambre de velours cramoisi, doublée de fourrure, couvrant un justaucorps de brocart et une chemise ouverte sur la poitrine. D'une facture ferme, presque sculpturale, ce portrait est l'un des rares de Largillierre où se sente une véritable préoccupation psychologique. Aussi n'est-il pas étonnant de trouver, parmi les rares dessins conservés de l'artiste, une petite feuille préparatoire au tableau. Ce croquis nous paraît en effet avoir été réalisé avant le portrait peint de Lille et non, comme on pourrait aussi le croire, d'après celui-ci : les deux montants du chevalet sont visibles sur le dessin, tandis qu'un seul apparaît sur le tableau ; le dossier du fauteuil est plus haut au-dessus de l'épaule du modèle et sa distance, par rapport au visage de celui-ci, est bien plus grande ; l'ouverture de la robe de chambre descend beaucoup plus bas ; l'accotoir du fauteuil, visible sur le portrait peint, ne figure pas sur le dessin. Certes, toutes ces différences pourraient être le fait de la rapidité avec laquelle fut exécuté le croquis. Mais il serait étrange, justement, que l'artiste ait déplacé tout ce qui constitue des repères auxquels accrocher sa copie : l'ovale de la tête par rapport au dossier du fauteuil, l'accotoir qui introduit une ligne structurante, l'ouverture de la robe si évidente à mi-hauteur du buste, le chevalet qui devrait disparaître plutôt que se compléter de ses parties manquantes. Tous ces détails nous paraissent utiles et faciles à situer lorsque l'on fait la copie – aussi rapide soit-elle – d'une œuvre originale. De même, il n'est pas difficile d'imaginer Largillierre surprenant son beau-père dans son atelier, lui demandant de prendre un instant la pose et le croquant en quelques traits fulgurants de sanguine. Il est tout aussi aisé de le voir porter pour mémoire les indications « marron », pour le pantalon, et « rouge », pour la robe d'intérieur, puis rectifier sa composition : dégageant le regard du modèle en abaissant le dossier du fauteuil, réduisant l'importance du chevalet, remontant l'échancrure du vêtement pour limiter la zone claire à la proximité du visage, introduisant enfin l'accotoir du fauteuil pour fermer son tableau dans la partie inférieure. Un sens aigu de la synthèse, la tension du tracé, la transparence des formes et l'étrange blancheur du visage achèvent de nous convaincre du caractère autographe de ce dessin.

• HISTORIQUE : *acquis à une date inconnue par l'actuel propriétaire.* • EXPOSITIONS : *jamais exposé.* • BIBLIOGRAPHIE : *1980, Dunkerque, Valenciennes, Lille, p. 117.* • ŒUVRES EN RAPPORT : *dessin préparatoire au* Portrait de Jean-Baptiste Forest *conservé au musée des Beaux-Arts de Lille (inv. P 328).*

Vers 1700-1704
Sanguine, 0,222 x 0,172 m
Paris, collection particulière

S. N°9

N° 36 Étude pour un portrait de jeune fille

Le musée du Louvre conserve un magnifique portrait de famille où la tradition a longtemps voulu reconnaître un autoportrait de Largillierre parmi les siens. Il a été suggéré depuis (Lastic, 1979b, p. 21-22) que ce portrait pourrait être celui du graveur François Chéreau (1688-1729), de son épouse et de leur fille, identification problématique sur laquelle nous reviendrons ailleurs. Debout entre ses parents, la belle adolescente entonne une chanson dont elle tient devant elle la partition manuscrite : « L'Amour sans peine et sans plaisir », d'un auteur-compositeur inconnu (voir Mirimonde, 1966, p. 145-146). La feuille du Courtauld Institute est l'étude de ce personnage central, dont Largillierre a souhaité préciser l'attitude générale, la position des bras et le port de tête. Celle-ci est à peine évoquée : quelques traits légers suffisent à poser la coiffure ; les yeux, le nez et la bouche entrouverte sont marqués par des indications sommaires, sans doute estompées du bout du doigt par l'artiste qui, ainsi, a donné à l'expression une grande mobilité ; un petit coup d'estompe aussi sur la joue et le menton délimite la partie inférieure du visage. Marqué de quelques traits plus appuyés, à droite, un cou ferme et gracieux soutient cette face énigmatique. Le graphisme soudain s'affirme, comme pour donner sa rigidité au corps de la robe qui enserre la poitrine de la chanteuse, la porte et en expulse le souffle. Les bras sont à peine suggérés, l'artiste se réservant de préciser ultérieurement le dessin des mains (voir n° 39). Jouant de l'estompe sur la pièce d'estomac de la robe et sous la feuille de musique que tient son modèle, Largillierre réussit à enrichir son vocabulaire de quelques ombres transparentes et chaleureuses.

• **Historique** : *collection Philippe de Chennevières.* • **Expositions** : *1956, Bristol, n° 40.* • **Bibliographie** : *Brême, 1998, p. 41, repr. p. 43, fig. 34.* • **Œuvres en rapport** : *étude pour la figure de la jeune fille se trouvant au centre du* Portrait de famille *conservé au musée du Louvre (inv. M.I. 1085).*

Vers 1715
Pierre noire et rehauts de blanc, 0,283 x 0,197 m
Londres, Courtauld Institute of Art (D. 1952 RW 4486)

N°37 *Étude de bras*

Véritable travail préparatoire, cette *Étude de bras* se différencie de la feuille suivante qui, nous le verrons, a été exécutée d'après des tableaux achevés. Elle se démarque également par sa technique, une belle sanguine rehaussée de craie blanche, sans intervention de la pierre noire, et par son graphisme, dominé par un jeu de hachures légères excluant le recours à l'estompe. La position de la main, dont le pouce et l'index pincent un quelconque objet (souvent le ruban nouant une chevelure) et dont les autres doigts s'ouvrent gracieusement en éventail, est des plus caractéristiques du maître. Il s'agit même d'un motif auquel il se montra particulièrement attaché dans les années 1690 et que l'on trouve, à peine différent, dans le *Portrait de madame Neyret de La Ravoye* conservé au City Art Museum de Saint Louis (vers 1696 ; voir Brême, 1998, repr. p. 59, fig. 50) : la comparaison est éloquente et l'on remarquera la parfaite similitude des doigts boudinés dont la dernière phalange, écrasée, se redresse en virgule. Le même détail servit au peintre dans un *Portrait de femme inconnue*, exécuté en 1696, aujourd'hui en mains privées (voir Lastic, 1985, p. 38, repr. fig. 3).

Cette datation relativement précoce dans l'œuvre de l'artiste autorise à se demander s'il pourrait y avoir une relation entre la période concernée et la technique très particulière de le sanguine hachurée, si différente de celle des trois crayons estompés qui caractérise les feuilles réalisées vers 1715 (voir n° 38 et 39). En dépit de la rareté des dessins du maître, il semble qu'il soit possible de répondre par l'affirmative : les quelques feuilles que nous avons pu étudier, toutes faciles à dater, évolueraient ainsi d'une conception linéaire du dessin, issue des sanguines d'un Charles Le Brun et rappelant celles d'un Charles de La Fosse, pour aboutir à une vision plus picturale, proche de certaines feuilles du même La Fosse et de François Lemoyne, en passant par une phase intermédiaire combinant les différentes techniques évoquées. De cette période de transition date une belle feuille d'études de mains, naguère donnée à Jean-François de Troy (Londres, galerie Baskett and Day, catalogue 1987, n° 45), qu'il nous a été possible de mettre en relation avec trois portraits peints par Largillierre vers 1704-1705. Il est à noter que l'échantillon beaucoup plus important des dessins connus de François de Troy nous avait permis d'aboutir à une conclusion assez comparable : le concurrent de Largillierre passa lui aussi de la sanguine hachurée, très utilisée par lui jusque dans le milieu des années 1690, à la seule pierre noire, généreusement estompée durant la dernière période de sa vie.

• **Historique** : *acquis sur le marche de l'art parisien par l'actuel propriétaire dans les années 1990.*
• **Expositions** : *jamais exposé.* • **Bibliographie** : *Brême, 1998, p. 41, repr. p. 41, fig. 32.*

Vers 1695
Sanguine et rehauts de blanc, 0,186 x 0,096 m
France, collection particulière

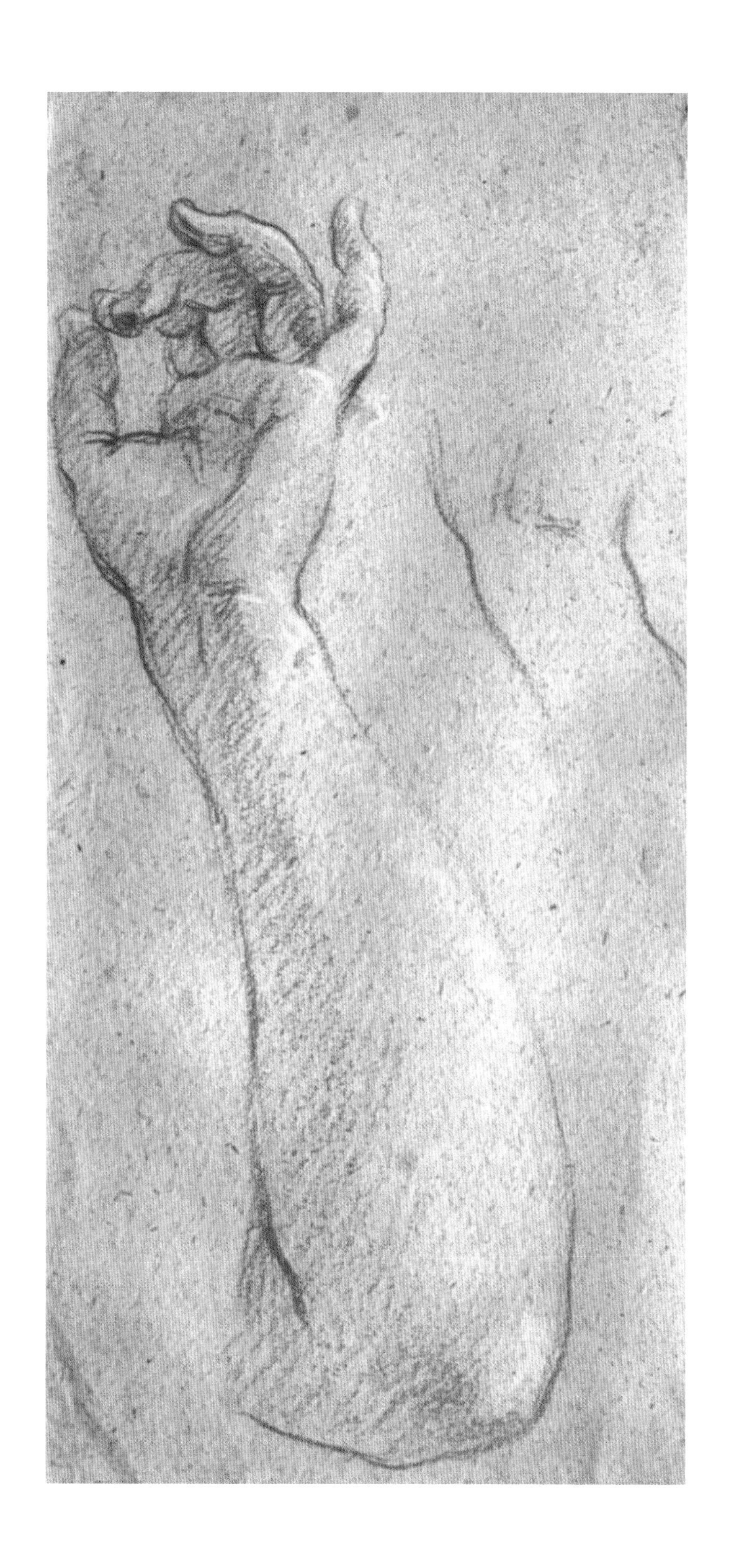

N°38 Études de mains

Comme dans la très belle toile du musée du Louvre (n° 4), la plupart de ces mains sont en relation avec des portraits de Largillierre exécutés autour de 1712-1715 : quatre mains se retrouvent dans l'extravagant portrait de la femme de l'artiste et de son fils peint vers 1712 et conservé au Museo Nacional de Bellas Artes de Buenos Aires (repr. dans Lastic, 1982, p. 79) ; une est en rapport avec le portrait de Marguerite Bécaille, épouse de Maximilien Titon, exécuté vers 1714 (vente, Paris, espace Tajan, 9 décembre 1999, p. 60, n° 60, repr.) ; une autre avec le portrait dit de madame de Puységur, de la même époque (The Baltimore Museum of Art) ; une avec celui, signé et daté 1713, de Jeanne-Cécile Le Guay de Montgeron, épouse de Pierre-Joseph Titon de Cogny (vente, Paris, hôtel George V, 18 mars 1981, n° 142, repr.) ; celle dont le poignet de chemise est visible, dans la partie supérieure à gauche, peut être mise de nouveau en relation avec le portrait de Marguerite Bécaille (dans sa version gravée par Desplaces en 1715) et aussi, mais avec moins d'évidence, avec la main qui soutient la corbeille de fleurs au beau milieu de la composition du Louvre (n° 4) ; celle enfin qui, au centre de la feuille, semble pincer un objet se retrouve, dès 1687 et jusqu'à une date avancée, dans plusieurs œuvres de l'artiste.

Mais ces études de mains sont-elles à proprement parler des travaux préparatoires ? Trois arguments nous autorisent à penser que ce bel ensemble de croquis fut exécuté, comme le tableau du Louvre, d'après les portraits peints achevés. D'une rare élégance, la mise en page nous paraît tout d'abord trop savante, trop pensée, pour être le résultat de l'accumulation hasardeuse de dessins réalisés spontanément. Le graphisme, ensuite, nous semble trop peu hésitant pour correspondre à un véritable travail de recherche : des repentirs, des répétitions plus ou moins poussées devraient logiquement apparaître sur une feuille d'études. La correspondance parfaite, enfin, entre ces quelques mains et les tableaux que nous avons cités achève de nous convaincre que le dessin fut fait d'après la peinture et non l'inverse. Il serait faux, sans doute, de croire que de telles feuilles avaient d'autres fonctions que celle d'entretenir, chez le peintre, une pensée active du geste en tant qu'élément expressif premier de ses portraits. Elles pouvaient certes servir à l'enseignement par l'exemple, elles pouvaient aussi permettre la répétition de certains motifs mais, de même que l'exercice de la gamme ne cesse d'occuper le musicien, elles avaient surtout pour vocation de faire de la main l'une des préoccupations constantes du peintre.

• **Historique :** *acquis sur le marché de l'art parisien par l'actuel propriétaire, dans les années 1990.*
• **Expositions :** *jamais exposé.* • **Bibliographie :** *Brême, 1998, p. 39, repr. p. 39, fig. 30; 1997-1998, Nantes, Toulouse, repr. p. 151.* • **Œuvres en rapport :** *voir notice ci-dessus.*

Vers 1712-1715
Pierre noire, sanguine et rehauts de blanc, 0,27 x 0,41 m
Grande-Bretagne, collection particulière

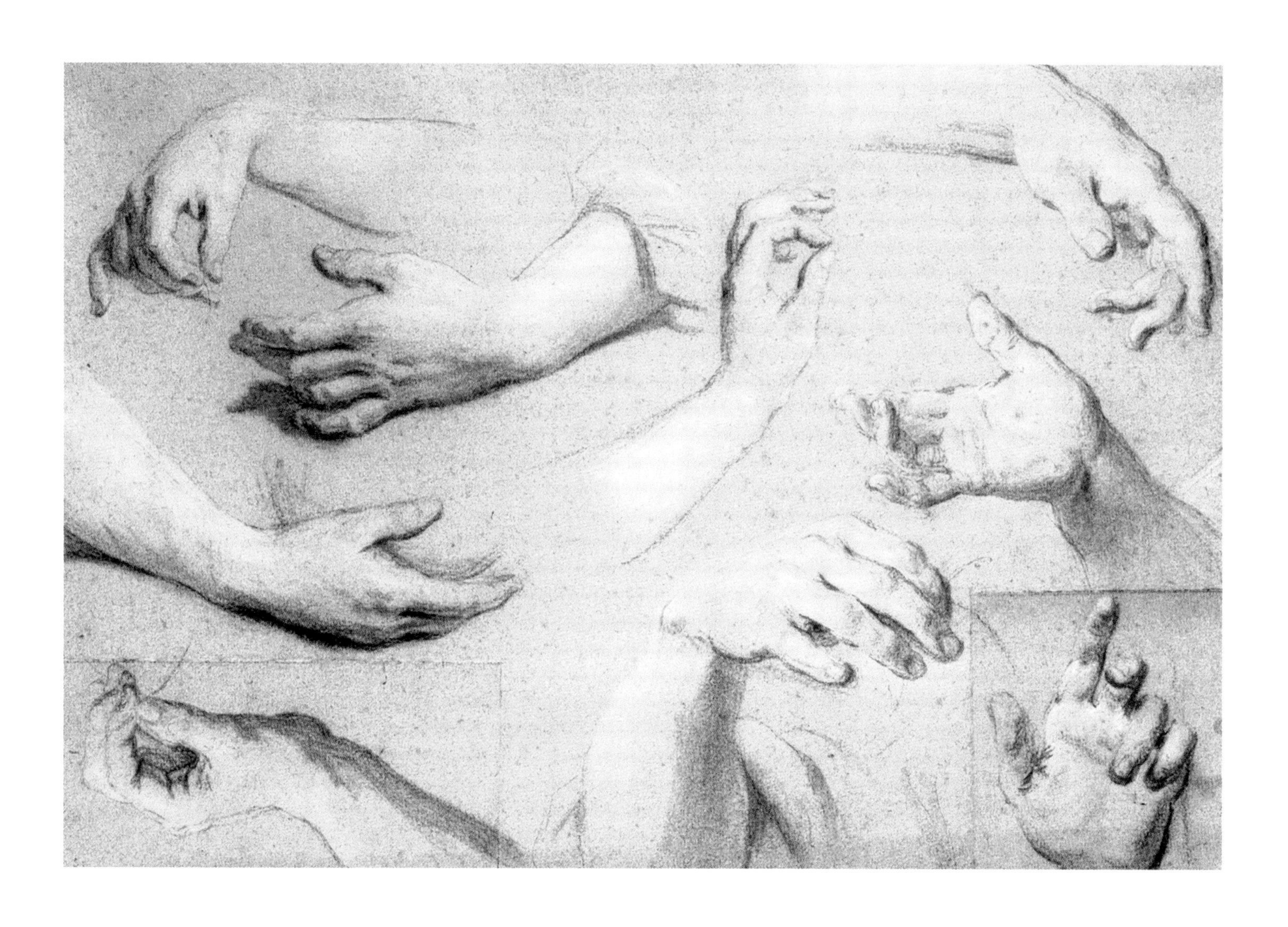

N°39 Études de mains

D'une remarquable mise en page, ce dessin est en rapport direct avec le très fameux *Portrait de famille* conservé au musée du Louvre (inv. M.I. 1085). Les deux mains représentées dans la partie supérieure correspondent en effet à celles de la jeune fille qui, au milieu de la composition, chante entre ses parents. Largillierre, nous l'avons vu, réalisa une très belle étude d'ensemble pour cette figure (n° 36), étude dont le détail des mains fut volontairement négligé par l'artiste. Chercha-t-il à en préciser le dessin ou ne fit-il, ici encore, que s'inspirer du tableau achevé ? Notons tout d'abord que la main ouverte, à droite, a fait l'objet (antérieurement ou postérieurement ?) d'une autre étude, située à mi-hauteur à droite du dessin présenté au numéro précédent. Cela montre que les archétypes de l'artiste n'étaient pas définitivement fixés et qu'il savait revenir sur le motif quand bon lui semblait de le faire. Notons aussi, de ce point de vue, que le bout du majeur qui passe sensiblement au-dessus de l'index, sur le dessin, s'arrête à hauteur de celui-ci sur le tableau achevé. Notons enfin que le dessin de la troisième main, située dans la partie inférieure, outre qu'il ne correspond à rien de connu dans l'œuvre peint de Largillierre, pourrait bien être une première pensée pour une des deux mains de la mère de la jeune fille. Cette étude, en effet, rappelle assez les mains potelées de cette femme plantureuse. Peut-être l'artiste avait-il tout d'abord souhaité que celle-ci fît le geste de retenir son beau manteau de velours cramoisi doublé de satin blanc ? Peut-être préféra-t-il ensuite laisser la main reposer sur les genoux de son modèle, comme pour en suspendre toute action au moment où la mère se préparait à écouter sa fille ?

En dépit de son degré élevé de finition, il se pourrait donc que cette feuille fût un véritable travail préparatoire pour le tableau du Louvre. Par le mélange de la sanguine, de la pierre noire et de le craie blanche, le tout posé sur un beau papier beige, Largillierre cherche des effets picturaux qui ne sont pas sans rappeler les dessins contemporains de La Fosse, d'Antoine Coypel ou de Watteau. Moins académique néanmoins que les deux premiers, il présente une volumétrie plus puissante que le troisième et ainsi anticipe, par le dessin, sur la charge de matière et le coloris frais qui le caractérisent en tant que peintre.

• HISTORIQUE : *vente, Paris, hôtel Drouot, 19 juin 2003, p. 44, n° 100 (comme François Lemoyne), repr. ; acquis lors de cette vente par l'actuel propriétaire.* • EXPOSITIONS : *jamais exposé.* • BIBLIOGRAPHIE : *inédit.* • ŒUVRES EN RAPPORT : *les deux mains dessinées dans la partie supérieure sont en relation directe avec la figure de la jeune fille chantant dans le* Portrait de famille *conservé au musée du Louvre (inv. M.I. 1085).*

Vers 1715
Pierre noire, sanguine et rehauts de blanc, 0,221 x 0,231 m
France, collection particulière

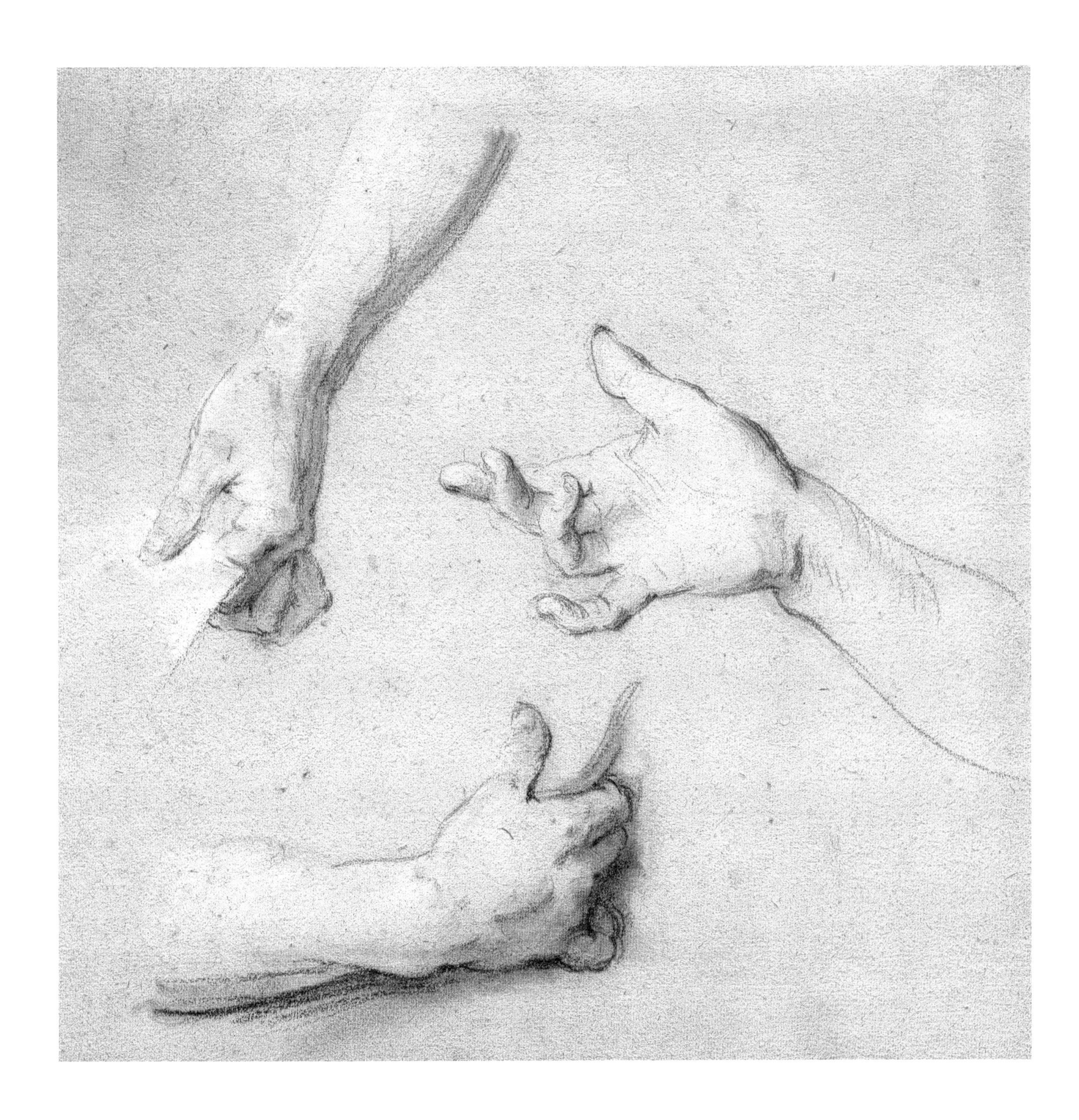

N°40 *Vase de fleurs*

Ce grand bouquet de fleurs fut réalisé par Largillierre en 1677, au cours de son deuxième séjour à Londres. Reçu maître en 1674 au sein de la guilde de Saint-Luc, à Anvers, le jeune artiste était arrivé en Angleterre avec, manifestement, une solide formation de peintre de nature morte. Son apprentissage auprès d'Antoon Goubau, paysagiste de moindre renom, ne peut suffire néanmoins à expliquer la grande maîtrise dont il faisait preuve soudain dans la pratique du genre. L'influence de Jan Davidsz. de Heem paraît en l'occurrence avoir été déterminante sur ses premières natures mortes, même si un apprentissage direct auprès du maître semble très improbable (voir p. 26). À bien des égards, le tableau ici présenté rappelle toutefois les formules du maître néerlandais installé dans la cité scaldienne dès 1636, et la comparaison avec certaines œuvres de celui-ci, tel le *Vase de fleurs* conservé au musée de l'Hermitage à Saint-Pétersbourg, est des plus troublantes. La composition très dynamique, presque « explosive », saturant le plan du tableau d'un semis de fleurs les plus variées, la précision du dessin, particulièrement, et le respect du ton local, faisant jouer en contraste les couleurs chaudes avec les froides, sont des caractéristiques communes à Largillierre et à son aîné. D'autres œuvres de Largillierre, comme sa petite *Vanité*, peinte également en 1677 (Heino, Stichting Hannema-de Stuers Fundatie), confirme pleinement ce rapport.

Toutes ces fleurs ont évidemment un sens symbolique qu'il nous est impossible de détailler ici. L'idée générale est d'opposer leur caractère éphémère à la méditation qu'elles ne peuvent manquer de susciter sur la grandeur de valeurs éternelles. Toutes en effet véhiculent des significations ambivalentes, liées au monde profane et charnel (la rose, fleur de Vénus ; l'œillet, symbole de l'odorat) ou au monde sacré et spirituel (la rose à nouveau, fleur de la Vierge ; l'œillet, symbole de rédemption). Cette logique paradoxale – faite pour dérouter également celui qui cherche une signification unique aux choses et celui qui refuse l'idée que ces choses aient plusieurs significations contradictoires – est l'expression même de la pensée humaniste, plus attachée à la survie du système symbolique en lui-même qu'à l'élucidation stérile d'un pur jeu de symboles : le mystère est par essence irréductible. Quant aux papillons qui volent parmi les fleurs, ils apportent un semblable message : de la chenille qu'ils étaient (le corps) et de la chrysalide qu'ils furent (le tombeau), ils sont devenus l'ombre visible des âmes ressuscitées.

• **Historique** : *collection Nigel E. R. Bellairs, Effingham Park, Copthorne (Sussex) ; vente, Londres, Sotheby's, 4 avril 1962, n° 8, repr. ; vente, Londres, Sotheby's, 4 juillet 1990, n° 43, repr.* • **Expositions** : *jamais exposé.* • **Bibliographie** : *Grate, 1961, p. 29, note 7 ; Faré, 1962, t. I, p. 151, 205, 336, t. II, repr. fig. 284 ; Lastic, 1968, p. 235 ; Faré, 1976, p. 51-52, repr. p. 50, fig. 60 ; 1981, Montréal, p. 82, 84, repr. p. 83, fig. II ; Lastic, 1983a, p. 36 ; Grimm, 1996, repr. p. 63 ; Brême, 1998, p. 47, repr. p. 55, fig. 46 ; Salvi, 2000, p. 215, repr. p. 214.*

1677
H/t, 1,055 x 0,905 m
Signé et daté, en bas à gauche : « N. De Largillierre/f. 1677 »
Grande-Bretagne, collection particulière

N°41 Deux grappes de raisin

Au livre XXXV de son *Histoire naturelle*, Pline rapporte une très fameuse anecdote mettant en scène les peintres Zeuxis et Parrhasius et leur capacité respective à contrefaire la réalité. Le second entra donc « en compétition avec Zeuxis : celui-ci avait présenté des raisins si heureusement reproduits que les oiseaux vinrent voleter auprès d'eux sur la scène ; mais l'autre présenta un rideau peint avec une telle perfection que Zeuxis, tout gonflé d'orgueil à cause du jugement des oiseaux, demanda qu'on se décidât à enlever le rideau pour montrer la peinture, puis, ayant compris son erreur, il céda la palme à son rival avec un modestie pleine de franchise, car, s'il avait personnellement, disait-il, trompé les oiseaux, Parrhasius l'avait trompé, lui, un artiste. » Largillierre ne pouvait ignorer cette histoire lorsqu'il se mit à peindre ces deux belles grappes de raisin : nombre de peintres s'étaient déjà arrêtés sur le motif comme sur le symbole même de la fonction mimétique de leur art. Âgé de 21 ans, Largillierre dut prendre un bien grand plaisir à faire valoir ses talents en décrivant la forme, les nuances chromatiques et les différentes luisances de ces fruits. Il anticipait surtout sur une spéculation que le théoricien Roger de Piles devait développer quelques années plus tard dans son célèbre *Cours de peinture par principes* (1708) : une grappe de raisin lui servit en effet à montrer comment le clair-obscur permettait de préserver l'unité d'un « groupe d'objets » considéré à la fois en tant que corps, effet plastique et discours (voir p. 48). Largillierre ne pouvait qu'adhérer à cette conception de l'art qui, au-delà de la perception de l'objet en son particulier, pose le principe d'une réalité multiple, traversée par une perception néanmoins continue, et pour cela même exprimable par un continuum plastique obligé. Pour modeste qu'il soit en apparence, le petit panneau de la collection Frits Lugt devient ainsi le support d'une profonde méditation sur la fugacité des apparences, c'est-à-dire sur la fragilité de l'être. De ce point de vue, il est aussi un manifeste des conceptions coloristes qui marquèrent l'évolution de la peinture à la fin du règne de Louis XIV, comme l'*Éliezer et Rebecca* ou le *Jugement de Salomon* de Nicolas Poussin l'avaient été du grand classicisme français.

• **Historique :** *collection Earl of Jersey ; vente Sotheby's, Londres, 23 mars 1949, n° 21 (acquis pour 30 livres par Frits Lugt) ; collection Frits Lugt.* • **Expositions :** *1959, Paris, n° 30 ; 1978, Bordeaux, p. 144, n° 115, repr. ; 1992-1993, Dijon, Paris, Rotterdam, p. 128-130, n° 25.* • **Bibliographie :** *Hennus, 1950, p. 131, repr. ; Waterhouse, 1953, p. 78 ; Whinney et Millar, 1957, p. 176 ; Grate, 1961, p. 28-29 ; Faré, 1962, n° 287, fig. 287 ; Lastic, 1968, p. 234 ; Faré, 1976, p. 52, fig. 62 ; Millar, 1978, p. 20, fig. 9 ; 1978-1979, Londres, p. 20, repr. p. 21, fig. 9 ; Hecht, 1980, p. 32, fig. 13 ; 1981, Montréal, p. 82, repr. p. 83, fig. III ; Rosenfeld, 1982, p. 82, 83, fig. III ; Lauts, 1986, p. 26, fig. 12 ; Waterhouse, 1988, p. 165; Brême, 1998, p. 33, repr. p. 33 ; Salvi, 2000, p. 215.*

1677
H/t, 0,25 x 0,34 m
Paris, Institut néerlandais, collection Frits Lugt (inv. 6060)

N De Largillierre

N°42 *Portrait d'un jeune prince et de son précepteur*

Certains auteurs ont voulu reconnaître en ce jeune prince Louis de France (1662-1711), le Grand Dauphin, ou Louis-Auguste de Bourbon (1670-1736), duc du Maine, tous deux fils de Louis XIV. Considérant le voyage de Largillierre à Londres en 1685 (date du tableau), d'autres ont cru pouvoir identifier ici James Fitz-James (1670-1734), fils naturel de Jacques II d'Angleterre. Le précepteur, quant à lui, emprunta tour à tour ses traits à Jacques-Bénigne Bossuet, à l'abbé de Noailles ou à Urbain Chevreau, justement selon l'identité du prince... Il fallut à chaque fois forcer en tous sens pour aboutir à des conclusions dont aucune n'est aujourd'hui véritablement soutenable. La date d'exécution du tableau et la physionomie du précepteur obligent sans doute à chercher davantage du côté de l'Angleterre, où beaucoup d'aristocrates avaient les moyens de commander à Largillierre un portrait aussi ambitieux. Le geste du maître, qui pose la main sur l'épaule de son protégé, exclut presque sûrement que celui-ci soit de sang royal : aucun peintre sans doute ne se fût permis de les représenter dans une relation d'aussi grande familiarité, même si, dès l'époque romaine, cette attitude symbolise l'ascendant du précepteur sur l'esprit de son élève. Quoi qu'il en soit, on appréciera la belle élégance de ce tableau, très caractéristique de la première période de l'artiste : verticalité accusée empruntée aux modèles anglais (Van Dyck et Lely ; voir p. 33), dessin un peu raide des draperies, palette large et saturée valorisant au premier plan les couleurs primaires, exécution soignée se refusant encore à la virtuosité.

• **Historique** : *collection du baron Marenzi, mort en 1845, à Bruges ; collection de M. et Mme de Doncquers, à Bruges, en 1873 ; à Bruxelles en 1890 ; vente Prosper Crabbe, Paris, galerie Sedelmeyer, 12 juin 1890, n° 38 ; acquis par le duc de Gramont ; vente du duc de Gramont, Paris, galerie Georges Petit, 22 mai 1925, n° 10 ; acquis par Joseph Fuller, de New York ; French and Co., New York ; acheté par la fondation Samuel H. Kress en 1955 ; prêté au musée en 1956 ; donné au musée en 1961.* • **Expositions** : *1873, Bruges ; 1935a, Paris, p. 52, n° 266 ; 1981, Montréal, p. 109-113, n° 15, repr. p. 109.* • **Bibliographie** : *Mantz, 1893a, p. 94-95 ; Roger-Milès, 1925, p. 170-172, 174 ; Pascal, 1928a, p. 44-45, 58, n° 33, repr. pl. XXVII ; Florisoone, 1947, p. 72, repr. fig. 2 ;* Connoisseur, *t. CXXXIII, mai 1954 (repr. en couverture), p. 233 ; Suida et Shapley, 1956, n° 43, repr. pl. 114 ; Smith, 1964, p. 125-126, repr. fig. 33, pl. IX ;* National Gallery of Art, *1975, p. 188, n° 138, repr. p. 189 ; Walker, 1976, p. 328, repr. fig. 436 ; Eisler, 1977, p. 292-293, K2083, repr. fig. 262 ; Lastic, 1982, p. 26, repr. p. 24, fig. 1 ; Lastic, 1983a, p. 37, 38 ; Lastic, 1983c, p. 76, 81, note 22 ; Rosenfeld, 1984, p. 69, 73, note 21 ; Rosenberg et Stewart, 1987, p. 209 ; Blunt, 1988, p. 394, repr. p. 395, fig. 330 ; Rosenfeld, 1992, p. 44, 47, 51, note 16, repr. p. 48, fig. 8 ; Walker, 1995, p. 326, fig. 432 ; Opperman, 1996, p. 788 ; Brême, 1997b, p. 48 ; Brême, 1998, p. 12, 46.*

1685
H/t, 1,46 x 1,148 m
Signé et daté, en bas à droite : « N. De/Largillierre/f. 1685 »
Washington, National Gallery of Art (inv. 1386)/Samuel H. Kress Collection (1961.9.26)

N°43 *La famille Stoppa*

Au centre de la composition, Anne-Charlotte de Gondi (1627-1694), cousine du cardinal de Retz, désigne le portrait ovale de son époux, Pierre Stoppa (1621-1701). Sur le côté droit, Anne de La Bretonnière, leur nièce, prieure du monastère royal de Saint-Jean-Baptiste de Château-Thierry, apparaît dans son habit de religieuse augustine. Une petite fille, à gauche, dont l'identité n'est pas connue, esquisse un geste symétrique à celui de la figure principale et désigne le tableau, tandis que de l'autre main elle porte un petit perroquet bleu à tête rouge (*electus* femelle ?). Derrière elle apparaît un jeune négrillon.

Brigadier, maréchal de camp (1677), puis colonel des Gardes-Suisses (1685) et enfin lieutenant général des armées de Louis XIV, Stoppa, nous dit Saint-Simon, « avoit amassé un bien immense pour un homme de son état, avec une grosse maison pourtant et toujours grande chère. Il avoit toute la confiance du roi sur ce qui regardoit les troupes suisses et les cantons (...). Le roi s'étoit servi de lui en beaucoup de choses secrètes, et de sa femme encore plus, qui, sans paroître, avoit toute la confiance de Mme de Maintenon, et étoit extrêmement crainte et comptée, plus encore que son mari, quoiqu'il le fût beaucoup. » Ce grand bien « amassé », les Stoppa le répandirent généreusement sur l'hôtel-Dieu de Château-Thierry que dirigea Anne de La Bretonnière de 1682 à 1714 : aménagement des bâtiments, construction de la chapelle, création de lits, don d'objets de culte ouvragés, de pièces d'orfèvrerie précieuse, de tableaux en nombre, aides diverses, le mécénat du couple s'étendit à tous les aspects de la vie du monastère.

Peint vers 1685, le tableau fut envoyé par Pierre Stoppa à Château-Thierry entre 1696 et 1700, comme en atteste le journal très sommaire de la prieure (archives de l'hôtel-Dieu, copie moderne du document original disparu). Même si le tableau était demeuré quelques années à Paris, il est assuré qu'il avait été conçu pour rejoindre un jour le monastère d'Anne de La Bretonnière, et l'inhumation en 1694 d'Anne-Charlotte de Gondi dans la luxueuse chapelle funéraire que les Stoppa y avaient fait bâtir fut sans doute déterminante dans le déplacement de l'œuvre. Caractéristique du milieu des années 1680 par l'équilibre de sa composition, la sagesse de son exécution et la gamme acide de son coloris, ce tableau est le premier portrait de groupe aujourd'hui connu de Largillierre. Le peintre s'y montre très soucieux d'intentions allégoriques : le bel épagneul noir et blanc en arrêt devant le portrait de l'officier symbolise manifestement la fidélité ; le petit perroquet, autant que Largillierre pouvait en connaître les espèces, ne pourrait-il évoquer les inséparables (en l'occurrence du genre *agapornis pullaria*, plutôt vert à tête rouge) et l'un des membres du couple envolé (nous poserons ailleurs la question) ? Quant à la grande anémone écarlate que la prieure a choisie parmi d'autres fleurs dans son panier, elle naquit du sang versé par Adonis (Ovide, *Métamorphoses*, X) et opère ici, selon une tradition bien établie, en tant que symbole christique.

• **Historique :** *envoyé par Pierre Stoppa au prieuré royal hospitalier de Saint-Jean-Baptiste de Château-Thierry entre 1696 et 1700.* • **Expositions :** *jamais exposé.* • **Bibliographie :** *Henriet, 1895, p. 189 (comme œuvre de Pierre Mignard) ; Lastic, 1983c, p. 75-76, 81, note 20, repr. p. 76-77, fig. 6 ; Lastic, 1985, p. 42-43, 44, repr. p. 38, fig. 4 ; Barraz, 1990, p. 109-110 ; Meyer, 1991, p. 32 ; Opperman, 1996, p. 788 ; Coquery, 1997, p. 127, repr. p. 133.*

Vers 1685
H/t, 2,26 x 2,75 m
Château-Thierry, collection de l'ancien hôtel-Dieu (inv. W 1)

N° 44 *Fruits et perdrix rouge*

L'idée de disposer une nature morte dans une niche est née avec les premières spéculations modernes sur la structuration illusionniste de l'espace pictural : Taddeo Gaddi semble avoir inauguré cette formule dès 1337-1338, dans une fresque qu'il peignit en l'église Santa Croce de Florence. Diversement interprété aux XVe et XVIe siècles, notamment par les peintres flamands, le motif connut un succès considérable au siècle suivant, aussi bien en Flandre que dans le nord des Pays-Bas. Il permettait en effet la représentation d'un monde en miniature, métaphore d'un cadre architectural noble et circonscrit où se joueraient des tragédies humaines dans l'ordre symbolique. Ici la perdrix, pendue lamentablement par une patte, évoque le martyre du Christ et, dans le registre inférieur, les fruits opposent des valeurs morales inconciliables : les figues entrouvertes évoquent les plaisirs de la chair (la forme du fruit le teinte généralement de connotations obscènes) ; suggérant à la fois l'ivresse et la communion, le raisin met en garde contre les excès et appelle à la tempérance ; la pêche, quant à elle, représente la sincérité de cœur, ou vérité (le fruit comme symbole du cœur et la feuille comme évocation de la langue par laquelle il s'exprime). Et cette lecture ne force en rien les intentions du peintre : une *Vanité*, peinte par Largillierre en 1677 (Heino, Stichting Hennema-de Stuers Fundatie), réunit dans une niche quelques objets à la signification très claire : crâne, montre, livre et fleurs éphémères (voir aussi les notices des n° 45 et 47).

• **Historique :** *peut-être, avec son pendant (voir n° suivant), le tableau figurant dans l'inventaire après décès de l'artiste : « deux autres tableaux représentants perdrix et fruits » (Archives nationales, Minutier central, XIV, 329, 26 mars 1746) ; acquis pour 1720 F. du citoyen Cailar, en février 1799, par Louis-Joseph Jay, premier conservateur du musée de Grenoble (comme œuvre d'Alexandre-François Desportes) ; entré au musée en 1800* • **Expositions :** *1935, Paris, n° 63 (comme œuvre de Jan-Baptist Weenix) ; 1985, Lille, p. 115-116, n° 72, repr. p. 115.* • **Bibliographie :** *Jay, an IX, n° 45 (comme œuvre d'Alexandre-François Desportes) ; Clément de Ris, 1860, p. 175 (comme œuvre d'un élève ou imitateur de Jan-Baptist Weenix) ; Clément de Ris, 1872, t. II, p. 183 ; Pilot de Thorey, 1880, p. 61 (comme œuvre de Desportes) ; Romand, 1892, p. 92 (comme attribué à Weenix) ; Beylié, 1909, p. 64, repr. (comme œuvre de Weenix) ; Grate, 1961, p. 23-30, repr. p. 25, fig. 3 ; Faré, 1962, t. II, cité sous le n° 293 ; Vergnet-Ruiz et Laclotte, 1962, p. 242 ; Lastic, 1968, p. 235 ; Dorival, 1974, p. 27-28, repr. fig. 24 ; Faré, 1976, p. 53, fig. 74 ; Laffon, 1982, t. II, n° 507 ; Rosenberg et Stewart, 1987, p. 209 ; Brême, 1998, p. 47, repr. p. 46, fig. 36 ; Chomer, 2000, p. 164, 166, n° 71, repr. p. 164.* • **Œuvres en rapport :** *voir pendant au n° suivant ; autre version à Paris, galerie Pardo, en 1958 (tableau signé « N. de Largillière » ; voir Grate, 1961, p. 26-27, repr. p. 27, fig. 5 ; vente, Paris, palais Galliera, 12 juin 1973, n° 9).*

Vers 1680-1685
H/t, 0,72 x 0,60 m
Grenoble, musée des Beaux-Arts (MG 75)

N°45 *Fruits et perdrix grise*

Une grenade ouverte remplace ici la pêche qui, sur le tableau précédent, figurait la sincérité de cœur. La valeur symbolique de ce fruit exotique est également positive : allusion à la résurrection (le tombeau ouvert d'où sourd à nouveau la vie) et à l'Église (les grains de la multitude réunit sous une même autorité). Réalisés au début des années 1680, c'est-à-dire au commencement de la carrière parisienne de Largillierre, cette nature morte et son pendant présentent déjà quelques différences stylistiques par rapport aux œuvres exécutées à la fin des années 1670 (voir n° 40 et 41). Peut-être sous l'influence de l'art français, le peintre précise en effet son dessin et tempère son goût pour les effets de transparence. La clarté du propos cherche à l'emporter ici sur l'habileté d'un métier que l'artiste sait désormais posséder. Il en résulte presque une sensation d'opacité (voir n°47 et 48) qui, en dépit d'apparentes similitudes avec les œuvres quelque peu antérieures, font de ces natures mortes des années 1680 un ensemble très caractéristique, parfaitement cohérent et empreint d'évidentes préoccupations classiques. Vers 1695 peut-être, Largillierre participera activement à l'accomplissement du rubénisme en s'autorisant des audaces que rien ne laisserait ici supposer : les compositions s'affranchiront alors de la stabilité classique pour gagner en dynamisme, le pinceau se fera plus libre et le coloris plus artificiel (voir n° 61 et 62). Le dessin puissant et l'exécution appuyée des deux pièces d'étoffe qui ornent les natures mortes de Grenoble donnent le change à l'illusionnisme plus grand avec lequel l'artiste en a peint le gibier et les fruits. Sans doute faut-il voir ici un effet de l'autre genre pratiqué par le peintre qui, par le mouvement large de draperies cassantes, soutenait alors la composition de ses nombreux portraits (voir n° 42 de 1685).

• **Historique :** *peut-être, avec son pendant (voir n° précédent), le tableau figurant dans l'inventaire après décès de l'artiste : « deux autres tableaux représentants perdrix et fruits » (Archives nationales, Minutier central, XIV, 329, 26 mars 1746) ; acquis pour 1720 F. du citoyen Cailar, en février 1799, par Louis-Joseph Jay, premier conservateur du musée de Grenoble (comme œuvre d'Alexandre-François Desportes) ; entré au musée en 1800.* • **Bibliographie :** *Jay, an IX, n° 44 (comme œuvre d'Alexandre-François Desportes) ; Clément de Ris, 1860, p. 175 (comme œuvre d'un élève ou imitateur de Jan-Baptist Weenix) ; Pilot de Thorey, 1880, p. 61 (comme œuvre de Desportes) ; Romand, 1892, p. 95 (comme attribué à Weenix) ; Grate, 1961, p. 23-30, repr. p. 24, fig. 2 ; Vergnet-Ruiz et Laclotte, 1962, p. 242 ; Lastic, 1968, p.235 ; Dorival, 1974, p. 27 ; Laffon, 1982, t. II, n° 507 ; Rosenberg et Stewart, 1987, p. 209 ; Brême, 1998, p. 47, repr. p. 47, fig. 37 ; Chomer, 2000, p. 165, 166, n° 72, repr. p. 165.* • **Œuvres en rapport :** *voir pendant au n° précédent.*

Vers 1680-1685
H/t, 0,72 x 0,60 m
Grenoble, musée des Beaux-Arts (MG 76)

N°46 Portrait d'un jeune gentilhomme inconnu

Le modèle de ce très beau portrait demeure désespérément anonyme : gentilhomme anglais ou jeune aristocrate français, il est aujourd'hui impossible de trancher en l'absence de tout signe distinctif sur le tableau. L'hypothèse d'une origine anglaise est très tentante : la coïncidence entre la datation de l'œuvre (Largillierre, on le sait, fit son ultime voyage en Angleterre en 1685), sa provenance (collection particulière anglaise) et l'influence manifeste du style raffiné de sir Peter Lely, que l'on y décèle, tout semble confirmer que nous sommes ici en présence de l'une des œuvres peintes par Largillierre au moment où il fut rappelé à Londres pour brosser les portraits du roi Jacques II et de la reine. La palette, choisie dans les tonalités les plus saturées et les plus acides de la gamme primaire, est en faveur d'une datation précoce, de même que la pose, élégante mais assez conventionnelle, le costume, la coiffure et l'angularité très caractéristique du dessin des draperies (comparer, de ce point de vue, avec le *Portrait d'homme en Bacchus*, n° 5, et le *Portrait d'un jeune prince et de son précepteur*, n° 42). Loin de fondre ses couleurs, Largillierre trouve ici son harmonie en juxtaposant de grandes plages chromatiques s'exacerbant mutuellement : le jaune aigre du paysage, le bleu de lapis lazuli du justaucorps et le rouge vermillon du lourd manteau de velours, ombré de laques de garance, trouvent leur équilibre sur le fond ternaire, gris ocre ou gris rose, des éléments environnants : les frondaisons, à gauche, le grand vase, à contre-jour, la doublure de satin du manteau, et la perruque ondoyante du modèle. Ce parti ne pouvait que séduire les amateurs français (que le modèle fût incidemment anglais ne change rien) : arrivé à Paris en 1679, Largillierre semble avoir à ce moment rompu avec l'harmonie douce de ses natures mortes pour adopter un langage plastique plus vigoureux. Il se montrait ainsi respectueux de la conception classique du coloris – qui avait encore ses partisans parmi les représentants les plus puissants de l'Académie – tout en développant des ambitions décoratives plus grandes. La facture assez leste de l'artiste est sans doute l'élément le plus inattendu, tant dans l'évolution de son œuvre que dans celle de la peinture française du temps : sans même parler de Philippe de Champaigne (mort en 1674) ou de Claude Lefebvre (disparu l'année suivante), tous deux très respectueux de la forme et de la texture, François de Troy, seul, commençait à peine à faire courir plus librement son pinceau à la surface de la toile. Le rôle de Largillierre fut ici déterminant et Rigaud, arrivé à Paris en 1681, ne s'y trompa point, qui développa lui-même une manière assez libre, très différente de celle qu'il mit en œuvre à partir de 1690 environ, qui fût de nature à soutenir la comparaison avec la belle écriture de son aîné.

• **Historique :** *collection particulière anglaise ; Edward Speelman, Londres ; galerie Legenhoeck, Paris ; acquis à une date inconnue par l'actuel propriétaire.* • **Expositions :** *jamais exposé.* • **Bibliographie :** *Lastic, 1983c, p. 76, 82, note 24, repr. p. 78, fig. 7 ; Brême 1996b, p. 91-92 ; Brême, 1998, p. 12, 46, 47, repr. p. 57, fig. 48.*

Vers 1685
H/t, 1,43 x 1,12 m
Château de Parentignat (Puy-de-Dôme), collection du marquis de Lastic

N° 47 *Fruits, oiseaux morts et perdrix rouge*

Très comparable aux deux tableaux du musée des Beaux-Arts de Grenoble (n° 44 et 45), cette nature morte composée dans une niche fut peinte, elle aussi, au commencement des années 1680. Par cet ensemble très cohérent, Largillierre montre son attachement à une formule dont le principe, nous l'avons dit, remontait au premier tiers du XIVe siècle. Mais la voie lui avait surtout été ouverte par de nombreux maîtres flamands et néerlandais qui, depuis que la nature morte était devenue un genre en soi, au début du XVIIe siècle, avaient infiniment enrichi la formule : Jan Baptist Weenix (1621-1662), Willem Van Aelst (1625-après 1683) ou Abraham Mignon (1640-1679), parmi d'autres, avaient composé de semblables tableaux. Largillierre s'inspira directement de cette génération et put trouver le motif de la perdrix pendue par une patte chez Weenix (La Haye, Mauritshuis), par exemple, et le cadre architectural de la niche chez Mignon (*Nature morte de fruits avec pêches, raisins et abricots*, Karlsruhe, Staatliche Kunsthalle). Le grand peintre animalier Alexandre-François Desportes (1661-1743) fit lui-même grand cas de cette formule dont il poussa les applications décoratives au suprême degré (*Nature morte à la niche de marbre*, Paris, musée du Louvre). Largillierre se montre quant à lui plus méditatif et, par rapport aux tableaux de Grenoble, développe ici un sentiment mélancolique plus marqué : à la perdrix, symboliquement présentée comme animal sacrificiel, le peintre ajoute en effet les deux petits oiseaux morts, près de la grenade ouverte. Et la représentation très touchante de la tête de l'un, reposant sur le ventre blanc de l'autre, prolongement de la tendresse qui unit les êtres jusque dans la mort, opère comme une suggestion animiste et teinte l'ensemble d'une tristesse bien plus sensible que dans les deux autres compositions. La fragilité de ces petits oiseaux inspirera d'ailleurs Jean-Baptiste Oudry qui, au sortir de l'atelier de Largillierre, fera d'eux le sujet tragique de ses premières natures mortes (1712, Agen, musée des Beaux-Arts ; 1713, Marseille, musée des Beaux-Arts), véritables *memento mori* à mi-chemin entre la *vanitas* classique et l'attendrissante simplicité d'un Chardin. Mais toutes ces considérations symboliques ne doivent pas faire oublier aussi que, dans un pays régulièrement touché par la disette, le petit gibier constituait plus simplement un moyen de subsistance : il n'est que de voir le nombre impressionnant de petits oiseaux recensés par Pierre-Antoine de La Varenne dans son *Cuisinier françois* (Paris, 1686).

• **Historique** : *collection Georges Sortais ; donné par lui à la ville de Paris en 1928.* • **Expositions** : *1928, Paris, p. 38, n° 118 (1re éd.), p. 44, n° 135 (2e éd.) ; 1953, Rennes, n° 14, repr. pl. VI ; 1954, Saint-Étienne, n° 39, repr. pl. 21 ; 1959, Courbevoie ; 1962, Sceaux, Bruxelles, n° 231 ; 1978, Bordeaux, p. 144, n° 116, repr. ; 1979, Cleveland, p. 14, n° 4, repr. ; 1982-1983, Tokyo, n° 1, repr. pl. 11 ; 1991, Bordeaux, p. 122, n° 33.* • **Bibliographie** : *Gronkowski, 1928, p. 336, repr. p. 337 ; Grate, 1961, p. 23, 30 ; Faré, 1962, t. I, p. 205, 216, t. II, repr. pl. 293 ; Lastic, 1968, repr. p. 153 ; 1975, Bruxelles, p. 128 ; Faré, 1976, p. 53, repr. p. 55 ; Bergström, Grimm, Rosci, Faré, Gaya-Nuño, 1977, p. 197, repr. ; 1981, Montréal, p. 85, repr. fig. VI ; Laffon, 1982, t. II, n° 507, repr. ; 1985, Lille, p. 116 ; Le Bihan, 1991, p. 111-112, repr. p. 111.*

Vers 1680-1685
H/t, 0,715 x 0,585 m
Signé en bas, à gauche : « Peint par N. de Largillierre »
Paris, musée du Petit Palais

N°48 *Corbeille de pêches, raisins et prunes*

La corbeille de fruits ou de légumes constitue un autre type récurrent de nature morte au XVIIe siècle : elle exprime en effet, de façon très immédiate, l'extraordinaire générosité de la nature envers les hommes qui, par leur travail, se montrent dignes de son modèle et s'en trouvent récompensés. Comme le motif de la niche, il s'agit d'un détail issu de compositions historiques plus ambitieuses et qui trouva son autonomie au moment où l'art de la nature morte devint un genre à part entière. Les maîtres flamands se montrèrent une fois de plus les plus habiles à varier sur le thème et les noms d'Isaac Soreau (mort en 1604), de Jacob Van Hulsdonck (1582-1647) et de Frans Snyders (1579-1657) s'attachent, entre autres, à ce type de représentation dont Largillierre, formé à Anvers, était particulièrement familier. Les maîtres français de la vie silencieuse ne furent pas en reste et Jacques Linard (1600-1645), François Garnier (vers 1600-vers 1685), Louise Moillon (1610-1696) ou Pierre Dupuis (1610-1682), pour ne citer que les plus importants, se firent presque une spécialité de cette corbeille de fruits. Toujours soucieux d'éclectisme, Largillierre emprunte à ces différentes sources : le caractère volontiers expansionniste des formes, le bruissement des feuilles de vigne et de pêcher, une volonté descriptive très affirmée sont autant de marques de l'influence des écoles du Nord sur le peintre. La lisibilité du dessin et le choix d'une palette valorisant les couleurs primaires appartiennent davantage au vocabulaire classique des maîtres français. L'opacité des matières, surtout, retiendra l'attention : loin de multiplier les glacis et de faire fusionner les matières, Largillierre procède par juxtaposition de tons purs et compense, par la précision de sa touche et son sens aigu des nuances chromatiques, son refus désormais évident de la performance artisanale. Il faut voir en cela le signe d'une maturité grandissante qui, bientôt, aura les meilleurs effets sur les natures mortes de l'artiste. Que l'on considère tous les fruits qui, sur la table de marbre ou pendant sur le côté du panier, composent une sorte de frise sur toute la largeur de l'œuvre. Au centre se trouve une belle prune bleue et orange, couleurs complémentaires que l'artiste a saturées pour en renforcer le contraste simultané. Plus à droite, une petite pomme bicolore oppose une moitié rouge vermillon, ombrée de garance, à son autre côté, jaune acide. Comme pour accentuer ce discours chromatique soudainement audacieux, Largillierre a posé ses matières avec une plus grande vigueur : reflets blancs sur la prune et sur le pomme ; chairs librement dessinées de la grenade éclatée. Ce refus du mélange des couleurs et cette recherche d'une écriture plus ferme rompent avec les partis pris du jeune artiste (voir n° 40 et 41) et laissent augurer des orientations nouvelles qu'il prendra dans la deuxième moitié des années 1690 (voir n° 61 et 62). À elle seule, la pomme annonce déjà Chardin.

• **Historique** : *acquis à une date inconnue sur le marché de l'art parisien par l'actuel propriétaire.*
• **Expositions** : *jamais exposé.* • **Bibliographie** : *inédit.*

Vers 1685-1690
H/t, 0,71 x 0,82 m
Signé au centre, sur la tablette de marbre : « N... Larg... »
France, collection particulière

N°49 Madame de Noailles et ses deux filles

Lorsqu'il réalisa ce portrait de la marquise de Noailles et de ses deux filles, vers 1698, Largillierre se souvint de celui qu'il avait brossé, plus de dix ans auparavant, de la famille de Pierre Stoppa (n° 43). Les dimensions modestes de l'œuvre empêchent néanmoins de pousser la comparaison plus avant. Ni esquisse ni *ricordo*, ce tableau aux coloris frais et audacieux, à l'exécution brillante, petit portrait « à la flamande » comme on disait alors (voir n° 5), avait pour vocation première de faire valoir les qualités propres du peintre, le désir des modèles de se faire portraiturer n'étant ici qu'un prétexte choisi. De Troy et Rigaud donnèrent dans le genre ; Robert Levrac en fit une spécialité.

Marguerite-Thérèse Rouillé de Meslay (1661-1729) est représentée avec ses deux filles, Anne-Marie (1691-1703) à gauche, et Anne-Catherine (1694-1711) du côté opposé. En leur présence, elle évoque la mémoire de son époux, leur père, Jean-François, marquis de Noailles (1658-1696), immortalisé par un portrait ovale que tient un négrillon. Frère du fameux maréchal de Noailles et du non moins célèbre archevêque de Paris, colonel de cavalerie, brigadier en 1692, puis maréchal de camp, lieutenant général au gouvernement d'Auvergne, le marquis de Noailles mourut prématurément de la petite vérole. Il faisait alors campagne en Flandre au service du roi, dont le profil sculpté en bas-relief sur un médaillon rond domine toute la scène. À gauche, un petit singe turbulent, juché sur un tabouret de bois doré, vole une pêche sur une console pour symboliser le cœur du marquis, ravi à son épouse par une mort précoce. Tenant un fruit semblable et regardant sa sœur, l'aînée incite celle-ci à offrir tout son amour à leur mère éplorée. La cadette fait selon son âge et, sans trop comprendre, s'avance avec quelques fleurs. Un carlin, sortant de l'ombre, et un épagneul, sur les genoux de sa maîtresse, expriment le sentiment ardent de fidélité qui anime tout le groupe. Mais dans le vase de porcelaine à décor bleu, les œillets des fiançailles et les fleurs d'oranger du mariage sont à jamais flétris.

• HISTORIQUE : *collection du comte Geoffroy de Goulaine (1864-1913), sénateur du Morbihan ; vente, Versailles, palais des Congrès, 24 février 1974, repr. (attribué à Largillierre ou François de Troy) ; acquis après cette vente par l'actuel propriétaire.* • EXPOSITIONS : *jamais exposé.* • BIBLIOGRAPHIE : *Adhémar, 1950, p. 69, note 4 ; Lastic, 1982, p. 30, repr. p. 28, fig. 7 ; Ingamells, 1983, p. 95, repr. p. 93, fig. 40 ; Lastic, 1983b, p. 425 ; Lastic, 1985, p. 42, 43-44, repr. p. 39, fig. 5, p. 41, fig. 9 (détail) ; Brême, 1996a, p. 57, repr. p. 57 ; Brême, 1998, p. 48-49, repr. p. 60-61, fig. 51.* • ŒUVRES EN RAPPORT : *l'auteur anonyme d'un portrait de la famille Bocquet d'Anthenay (huile sur toile, 1,33 x 0,97 m) reprend le schéma général du tableau de Largillierre. Avec quelques variantes liées notamment au contexte différent de la commande (trois enfants au lieu de deux), cette œuvre, d'une facture assez naïve, est passée plusieurs fois en vente ces dernières années (Vienne, Dorotheum, 21 mars 2002, n° 292 ; Londres, Sotheby's, 11 juillet 2002, p. 183, n° 239, repr.).*

Vers 1698
H/t, 0,64 x 0,81 m
Château de Parentignat (Puy-de-Dôme),
collection du marquis de Lastic

N°50 La Belle Strasbourgeoise

Il est singulier que le modèle du plus célèbre portrait de Largillierre soit resté anonyme : Strabourgeoise de passage à Paris ou Parisienne portant le costume alsacien ? Rien ne permet de trancher aujourd'hui. Rattachée depuis peu à la France, l'Alsace était en effet fort à la mode dans le Paris de la fin du règne de Louis XIV et Pellisson, dans la relation qu'il fit du voyage du roi à Strasbourg, en 1673, décrit longuement la coiffe que porte ici le modèle en précisant que des dames de la cour « en envoyèrent quérir de cette sorte à Strasbourg ». Largillierre prend le parti d'opposer le somptueux costume de la ravissante inconnue à la végétation luxuriante et sauvage qui l'environne : la couleur rouille de l'arbre, à gauche, le ciel gris bleu et le bosquet vert amande, à droite, donnent au tableau la couleur que lui retranche la robe noire de la jeune femme. Les carnations tendres de celle-ci, le corset noué d'un ruban rose et le pli rouge dépassant sur le côté gauche de sa robe achèvent de diversifier la palette et animent le tableau de couleurs riches quoique discrètes. Le peintre a compris le beau parti qu'il pouvait tirer de la forme de la coiffe : outre qu'elle soutient le regard du modèle en prolongeant la ligne de ses yeux, elle est comme l'image inversée de sa bouche, dont elle amplifie le sourire léger. La nacre des perles ajoute à la fraîcheur du teint de la jeune femme tout en éveillant l'écho de son regard irisé. Quant au petit cavalier king-charles, hébété, emprunté, prisonnier de sa maîtresse et battant vainement l'air de ses pattes pour trouver quelque appui, il opère comme l'image du spectateur pris au piège des charmes de la belle.

• **Historique :** *peut-être dans la collection d'Ange-Laurent de La Live de Jully ; puis dans sa vente, La Haye, 2-14 mai 1770, n° 55 ; peut-être dans la collection de César-Gabriel de Choiseul, duc de Praslin ; puis dans sa vente, Paris, 18 février 1793, n° 154 ; collection de la comtesse de Sarcus, au château de Bussy-Rabutin ; acquis en 1908 par Ch. Pardinel ; acquis en 1921 par François Coty ; sa vente, Paris, 30 novembre-1er décembre 1936, n° 23, repr. ; acquis à cette vente par Mrs Meyer Sasoon, de Londres ; collection Mrs Derek Fitzgerald ; vente, Londres, Sotheby's, 3 juillet 1963, n° 5, repr. ; acquis à cette vente par le musée de Strasbourg.* • **Expositions :** *1937, Paris, t. 1, p. 185-187, n° 70, repr. p. 187 ; 1954, Londres, n° 71 ; 1968, Lille, n° 79, repr. ; 1975, Bruxelles, p. 55, n° 14, repr. pl. I ; 1997-1998, Nantes, Toulouse, p. 215, n° 34, repr. p. 19.* • **Bibliographie :** *Blanc, 1865, t. I, p. 8 ; Haug, 1924, p. 68 ; Pascal, 1928a, p. 72, n° 64 ; Haug, 1936, p. 151-157 ; Haug, 1937, p. 88 ;* Revue de l'art ancien et moderne, *janvier 1937, p. 295, repr. ;* Pantheon, *vol. 19, 1937, p. 27 ; Robiquet, 1938, p. 59, repr. ; Hourticq, 1939, repr. p. 19; Florisoone, 1946, p. 91 ; Florisoone, 1948, p. 20 ; Hatt, 1948, p. 73-75 ; Huisman, 1956, repr. p. 22;* Connaissance des arts, *décembre 1963, n° 142, repr. ; Haug, 1963a, p. 457-466 ; Haug, 1963b, p. 111-118, repr. ; Haug, 1964, p. 139-143, repr. 1 ; Thuillier et Châtelet, 1964, t. 2, p. 134, repr. p. 135 ; Rheims, 1973, p. 90, repr. ; Scott, 1973, p. 75, repr. fig. 6 ; Margerie, 1977, p. 137, repr. p. 139 ; Fermigier, 1981, p. 7 ; 1981, Montréal, p. 107-108, repr. fig. XIV ; Lastic, 1982, p. 28-29, repr. p. 27, fig. 5 ; Lastic, 1983c, p. 74 ; Rosenfeld, 1984, p. 69 ; Wakefield, 1984, p. 16, repr. ; 1985, Florence, p. 27, repr. p. 28, fig. 8 ; Rosenberg et Stewart, 1987, p. 209 ; Chastel, 1995, p. 240, repr. ; Opperman, 1996, p. 789, repr. ; Cabanne, 1997, p. 16 ; Brême, 1998, p. 49, repr. p. 62, fig. 52 ; Jarrassé, 1998, repr. p. 19 ; Rosenberg, 2001, p. 378.*
• **Œuvres en rapport :** *une autre version autographe de cette composition (signée au dos), avec quelques variantes (ajout d'une balustrade derrière le modèle, d'un oranger à droite et d'un rosier à gauche), est conservée dans une collection privée (huile sur toile, 1,32 x 1,055 m) ; plusieurs versions d'atelier et réductions sont connues (Rouen, musée des Beaux-Arts).*

1703
H/t, 1,38 x 1,06 m
Signé et daté au dos de la toile originale : « peint par N. de Largillierre en 1703 » (relevé lors des rentoilages de 1908 et de 1938)
Strasbourg, musée des Beaux-Arts (inv. 2146)

N° 51 Mademoiselle de La Fayette

Fille de René Armand Mottier, marquis de La Fayette, brigadier des armées du roi, et de Jeanne-Madeleine de Marillac, Marie-Madeleine de La Fayette (1691-1717) était la petite-fille de l'auteur très fameux de *La Princesse de Clèves*. Elle paraît ici dans un sombre sous-bois, vêtue d'une robe inspirée de l'antique, accompagnée d'un grand lévrier qu'elle orne d'une guirlande de feuillages, et d'un petit carlin qui, à droite de la composition, sort des fourrés. Véritable dryade (on appelle ainsi les nymphes protectrices des forêts), cette enfant de six ans semble récompenser les bons et loyaux services du grand chien blanc et orange qui se tient près d'elle, tandis qu'elle nous avertit de quelque danger surgissant de l'ombre : l'élégance du lévrier contraste en effet avec la brutalité apparente du carlin dont les yeux, globuleux et rougeoyants, paraissent animés du reflet de mondes obscurs et lointains. Il n'était pas rare alors d'opposer, à l'occasion de quelque sujet peint, deux sortes d'animalité, l'une soumise aux valeurs supérieures de l'esprit – qu'il fût celui accompli de Dieu ou celui en puissance des hommes – et l'autre indocile, refusant le principe d'une quelconque hiérarchie entre les êtres. Cette distinction éthique se prolonge d'ailleurs dans l'opposition étonnante du costume de la jeune fille, merveilleusement raffiné, et du foisonnement sauvage et anarchique de la végétation qui croît alentour. Annonçant dès 1697 une formule qui trouvera son aboutissement avec *La Belle Strasbourgeoise*, en 1703 (voir n° 50), Largillierre choisit le parti de l'incongruité pour manifester son adhésion à la tradition humaniste selon laquelle l'homme quittait l'état de nature et trouvait sa supériorité sur elle dès lors qu'il en respectait l'ordonnancement. Le bleu intense du lapis-lazuli jouant en contraste simultané avec les tonalités oranges et brunes du décor ne fait que souligner cette dualité de l'être où se noue la condition des hommes. Entre le ton virgilien de Poussin et l'humeur mélancolique de Watteau, le portrait de Largillierre trouve ici sa place.

« Très bien faite » et « très riche », nous dit Saint-Simon, Marie-Madeleine de La Fayette fut d'abord fiancée au comte de Saint-Aignan qui, malheureusement, mourut de la petite vérole. En 1706, elle épousa donc Charles-Louis-Bietague de La Trémoïlle (1683-1719), prince de Tarente, puis duc de La Trémoïlle et de Thouars en 1709, premier gentilhomme de la Chambre. Elle mourut, ajoute le mémorialiste, « fort jeune et fort jolie, mais peu heureuse ».

• HISTORIQUE : *collection de madame de Marillac ; collection du duc de La Trémoïlle ; vente, Paris, palais d'Orsay, 24 novembre 1977, n° 25, repr. (attribué à Alexis-Simon Belle) ; acquis à cette vente par l'actuel propriétaire.* • EXPOSITIONS : *jamais exposé.* • BIBLIOGRAPHIE : *La Trémoïlle, 1890-1896, t. V, p. 56 ; Brême, 1996a, p. 57-58, repr. p. 57 ; Brême, 1998, p. 34, 48, repr. p. 48, fig. 38.* • ŒUVRES EN RAPPORT : *une copie d'atelier est aujourd'hui conservée dans une collection particulière américaine.*

1697
H/t, 1,465 x 1,135 m
Signé et daté au dos de la toile originale :
« peint par N. de Largillierre 1697 »
Château de Parentignat (Puy-de-Dôme), collection du marquis de Lastic

N°52 René Frémin

Considéré depuis longtemps comme le portrait de Nicolas Coustou (1658-1733) et présenté comme tel aux expositions de 1928 (Paris) et de 1981 (Montréal), ce tableau représente de toute évidence le sculpteur René Frémin (1672-1744). Les autres portraits connus de cet artiste, celui de Louis Autreau (1741, Musée national du château de Versailles) ou plus encore celui de Maurice-Quentin de La Tour (Paris, musée du Louvre), ne laissent aucun doute sur l'identité du modèle de Largillierre. Georges de Lastic a suggéré avec quelque vraisemblance (Lastic, 1985, p. 78) que ce portrait ait pu être exécuté en 1713, alors que Frémin venait de recevoir, conjointement à Philippe Bertrand, la commande d'un groupe destiné à Trianon et représentant Zéphire et Flore, commande que le sculpteur laissa inachevée au moment de son départ en Espagne, en 1721. Le petit groupe qui repose sur la sellette, et que Frémin vient de modeler dans une belle glaise grise, représente en effet la déesse Flore, esquisse très probable de l'œuvre qu'il abandonna. Neveu de madame de Largillierre, Frémin avait été l'élève de François Girardon et d'Antoine Coysevox. Il avait séjourné à Rome de 1694 à 1699, puis avait été reçu membre de l'Académie royale en 1701. Adjoint à professeur en 1706 (Largillierre y était professeur depuis l'année précédente), Frémin fut appelé par Philippe V d'Espagne en 1716, partit en 1721, travailla au palais de La Granja de San Ildefonso, près de Ségovie, devint premier sculpteur du roi en 1733 et revint en France en 1738. Présenté ici dans le beau négligé de son atelier, l'artiste désigne d'une main la masse de terre informe qui gît à ses pieds et, de l'autre, tient un ébauchoir qui symbolise le travail de rectification – et de sublimation poétique – auquel il doit se livrer pour faire sourdre la forme du néant. Derrière le sculpteur, un torse antique, et sur l'étagère de bois un *Antinoüs*, référence au grand classicisme antique que le peintre avait déjà fait figurer dans son grand *Portrait de Charles Le Brun* (1686, voir p. 36).

• **Historique** : *collection du baron de Boutray ; collection du vicomte G. Chabert ; collection Humbert de Wendel en 1928 ; vente, Paris, palais d'Orsay, 28 novembre 1978, n° 30 ; acquis à cette vente par la galerie Colnaghi ; acquis par le musée de Berlin en 1980.* • **Expositions** : *1928, Paris, p. 25, n° 44, repr. pl. IV (1re éd.), p. 28, n° 48, repr. pl. IV (2e éd.) ; 1980, Berlin, p. 190, n° 49, repr. ; 1981, Montréal, p. 238-241, n° 48, repr. p. 238.* • **Bibliographie** : *Gronkowski, 1928, p. 326, repr. p. 325 ; Pascal, 1928a, p. 59, n° 42 ; Pascal, 1928b, p. 161 ; Souchal, 1977, p. 152, 172, repr. fig 63 (dét.) ; Beurdeley, 1979, p. 24, repr. p. 23 ;* Chronique des arts, *novembre 1979, p. 110, repr. ; Lastic, 1979b, p. 21, repr. p. 22, fig. e ;* Apollo, *juin 1980, p. 485, repr. ; Fermigier, 1981, p. 7 ; Lastic, 1982, p. 31, 78, repr. p. 31, fig. 10 ; Lastic, 1983a, p. 37 ; Lastic, 1983c, p. 80, 82, notes 55, 56 ; MacGregor, 1993, p. 40, repr. fig. 21; Schweers, 1994, t. II, p. 1045, t. VI, p. 432, t. VIII, p. 114 ; Bock, 1996, p. 68, repr. p. 562, fig. 2802 ; Eisler, 1996, p. 415, repr. p. 416 ; Opperman, 1996, p. 789 ; Bock, 1997, p. 118, repr. p. 122 ; Brême, 1998, p. 51, repr. p. 65, fig. 55 ; Kelch et Grosshans, 2001, p. 121, repr. p. 120-121.*

Vers 1713
H/t, 1,355 x 1,092 m
Berlin, Staatliche Museen (inv. 80.1)

N°53 *Marie-Anne de Châteauneuf*

Après avoir appris le chant, Marie-Anne de Châteauneuf (1664-1748), dite mademoiselle Duclos, fit en 1693 son entrée au Théâtre-Français, où elle succéda à la Champmeslé (1642-1698) dans les premiers rôles tragiques. Elle créa notamment ceux de Josabeth (*Athalie*) et de l'*Esther* de Jean Racine, puis ceux de Salomé (*Marianne*) et de Jocaste (*Œdipe*) de Voltaire. Son jeu, marqué par une déclamation chantante fort appréciée, fut à la mode jusqu'à ce qu'Adrienne Lecouvreur (1692-1730) lui ravît en partie la faveur du public, en 1717. La Duclos est ici représentée dans le rôle d'Ariane, héroïne de la pièce du même nom de Thomas Corneille (1672) : éplorée, la fille de Minos et de Pasiphaé se lamente sur le départ de Thésée qui l'abandonne sur l'île de Naxos et dont le bateau s'éloigne au milieu des Cyclades. Surgissant des fourrés, au second plan, Bacchus découvre la belle et, paré d'un sourire équivoque, la désigne au cortège de faunes qui l'accompagnent. Un *putto* ceint l'héroïne d'une couronne formée de neuf étoiles, la *Corona borealis*, cadeau de Thésée ou de Bacchus (selon les traditions) que celui-ci ou Vénus (toujours selon les sources) éleva au ciel pour immortaliser Ariane. De l'autre main, l'enfant tient une couronne de laurier, un masque et un sceptre, attributs de Melpomène, muse de la tragédie. Deux fois métamorphosée, deux fois couronnée et doublement ravie, la Duclos lève les yeux au ciel et, les bras écartés, s'abandonne à son destin d'illustre tragédienne. Tonnant du fracas de la robe de velours cramoisi, chargé de matières généreuses, servi par un pinceau des plus habiles, ce tableau apparaît comme l'un des chefs-d'œuvre du peintre, alors à l'acmé de son art.

• **Historique :** *sans doute l'exemplaire de la collection de mademoiselle Duclos ; légué par elle en 1743 à Saintard, directeur de la Compagnie des Indes ; peut-être l'exemplaire de la collection d'Evrard Titon du Tillet ; Adam, marchand de tableaux ; acquis à ce dernier par la Comédie-Française, en août 1815, pour 80 F* • **Expositions :** *1909, Paris, n° 77 ; 1928, Paris, p. 29, n° 69 (1re éd.), p. 33, n° 76 (2e éd.) ; 1962, Versailles, p. 53, n° 130, repr. p. 52 ; 1966, Vienne, p. 435-436, n° 581, repr. pl. 7 ; 1974-1976, Paris, p. 39, n° 83, repr. ; 1980, Paris, p. 39, n° 122, repr. p. 40 ; 1981, Montréal, p. 248-252, n° 49, repr. p. 248 ; 2001-2002, Paris, p. 232, n° 70, repr. p. 233.* • **Bibliographie :** *Blanc, 1865, t. I, p. 4, 6-7, 8 ; Vasselot, 1880, p. 192 ; Mantz, 1893b, p. 303-304 ; Monval, 1897, p. 64 ; Dacier, 1905, p. 43-44, 166 ; Marcel, 1906, p. 225, 255 ; Dumont-Wilden, 1909, p. 203 ; Vaillat, 1912, p. 46 ; Réau, 1925, p. 57 ; Gronkowski, 1928, p. 331 ; Pascal, 1928a, p. 60, n° 53 ; Weisbach, 1932, p. 280 ; Valmy-Baysse, 1945, p. 521, repr. en regard de la p. 148 ; Smith, 1964, p. 236, repr. fig. 84, pl. XXI ; Lastic, 1979b, p. 21 ; Wakefield, 1984, p. 16.* • **Œuvres en rapport :** *autre version autographe au J. B. Speed Museum of Art de Louisville (huile sur toile, 1,62 x 1,31 m) ; un* ricordo, *très vraisemblablement autographe, est conservé au musée Condé de Chantilly (huile sur toile, 0,65 x 0,535 m).* • **Gravé par :** *Louis Desplaces en 1714.*

Marie-Anne de Châteauneuf,
dite Mlle Duclos, dans le rôle d'Ariane
1712
H/t, 1,58 x 1,295 m
La signature de l'artiste et la date de 1712 étaient visibles au dos de la toile originale, avant rentoilage.
Paris, musée de la Comédie-Française (I 259)

N°54 Voltaire

La tradition voudrait que ce tableau eût été peint par Largillierre en 1718 à la demande de Voltaire (1694-1778), qui le destinait à Suzanne Gravet de Corsembleu de Livry, marquise de La Tour du Pin Gouvernet. Âgé de 24 ans, le jeune écrivain venait d'être libéré de la Bastille où il avait été emprisonné de mai 1717 à avril 1718, accusé à tort d'avoir écrit de méchantes pages sur les amours incestueuses de Philippe d'Orléans, régent de France. L'âge apparent du modèle (à qui l'on donnerait plus volontiers une trentaine d'années) et surtout l'harmonie douce du coloris inciteraient cependant à une datation sensiblement plus tardive. Plusieurs indices, que nous développerons ailleurs, permettent en effet de situer plus vraisemblablement l'exécution de ce tableau vers 1724-1725, au moment où Voltaire, rentré en grâce, pouvait paraître avec cet air de fierté que nous lui voyons : à nouveau pensionné par le Régent (1722), il venait de faire l'héritage très confortable de son père (1722), de publier *La Henriade* (1723), véritable ouvrage de réhabilitation, et allait être chargé des représentations théâtrales pendant le mariage de Louis XV (1725). Un différend avec le chevalier de Rohan allait toutefois le conduire à nouveau à la Bastille (1726), puis en exil en Angleterre (1726-1728).

• **Historique :** *aurait été offert par Voltaire à Suzanne de Corsembleu de Livry ; collection Evrard de Rhoné; sa vente, Paris, hôtel Drouot, 6-8 mai 1861 ; collection Poussin ; sa vente, Paris, 29 avril 1863, n° 26 (920 F) ; collection Wildenstein ; collection Albert Bloch-Levalois ; sa vente, Paris, galerie Georges Petit, 25-26 mars 1924, p. 17, n° 17, repr. (50 500 F à M. de Cobo) ; collection de Cobo, Paris ; vente, Paris, Palais Galliera, 5 décembre 1961, n° 17, repr. pl. X ; collection Massimo Uleri ; donation en 1962 par M. et Mme Massimo Uleri, sous réserve d'usufruit, au Musée national du château de Versailles ; entré au musée en 2001.* • **Expositions :** *1902, Londres ; 1964, Paris, n° 180 ; 1978, Sceaux, n° 3 ; 1979, Paris, p. 8, n° 25, repr. p. 9 (détail) ; 1979, Bruxelles, p. 87, repr. ; 1981, Montréal, p. 264-266, n° 53, repr. p. 264 ; 1983-1984, Washington, n° 12 ; 1985, Florence, p. 27, 60, n° 15, repr. p. 61 ; 1986-1987, Paris, n° 127 ; 1989, Paris, n° 14 ; 1994, Barcelone, p. 106, 204-205, repr. p. 107 ; 1994-1995, Paris, p. 50-51, n° 16, repr. p. 23.* • **Bibliographie :** *Pascal, 1928a, p. 71, n° 153 ; Pascal, 1928b, p. 161-162 ; Gielly, 1948, pl. I ; Montgolfier et Gallet, 1960, p. 3-4 ; Lastic, 1979b, p. 21, repr. p. 22, fig. f ; Fermigier, 1981, p. 7 ; Lastic, 1983a, p. 36, 38 ; Lastic, 1983c, p. 80-81, 83, note 63 ; Rosenfeld, 1984, p. 69, 73, note 27 ; Rosenfeld, 1992, p. 44, 50, note 3 ; Chaussinaud-Nogaret, 1994, p. 40 ; Constans, 1995, vol. I, p. 527, n° 2989, repr. ; Opperman, 1996, p. 790 ; Brême, 1998, p. 27.* • **Œuvres en rapport :** *plusieurs copies anciennes, plus ou moins estimables, sont aujourd'hui connues de ce portrait, dont celle du musée Carnavalet qui, jusqu'à la réapparition du tableau que nous présentons, passait pour l'original (huile sur toile, 0,80 x 0,65 m). Une autre, due au pinceau de Catherine Lusurier (vers 1753-1781), est conservée au Musée national du château de Versailles (huile sur toile, 0,64 x 0,52 m). Une troisième, assez médiocre, se voit à l'Institut Voltaire de Genève.* • **Gravé par :** *Alexandre Tardieu (1756-1844) et Étienne Beisson (1759-1820).*

Vers 1724-1725
H/t, 0,79 x 0,64 m
Versailles, Musée national du château (M.V. 8159)

N°55 *Thomas Germain et sa femme*

Thomas Germain (1673-1748) fut peut-être le plus grand orfèvre français du XVIIIe siècle : l'extraordinaire liberté de son génie, l'invention très vive de son dessin et surtout l'adéquation parfaite de celui-ci à l'éclat des métaux nobles, l'ont toujours tenu en très haute estime auprès des amateurs. Voltaire lui-même, dans sa XXIIIe *Épître*, qualifia sa main de « divine ». Fils de Pierre Germain, orfèvre, et de Marguerite Décour, Thomas avait fait un long séjour à Rome (1688-1706), avait été reçu maître en 1720 et, la même année, avait épousé Anne-Denise Gauchelet (le 20 avril), avec qui il s'installa en 1723 dans le logement du Louvre qu'il avait obtenu (la lettre posée sur la table, au premier plan du tableau, à gauche, porte en effet cette adresse). Là, durant plus de vingt ans, Germain conçut les plus belles pièces d'orfèvrerie de la couronne de France, ainsi que l'essentiel de l'argenterie de la cour du Portugal. Pour Jean V, il réalisa dès 1723 plusieurs pièces mettant en œuvre 220 kilos d'argent. Ce fut surtout, peu après, un très célèbre service de table de 1 500 kilos du même métal, presque entièrement détruit, hélas, dans le non moins fameux tremblement de terre de Lisbonne, le 1er novembre 1755. Il revint au fils de Thomas, François-Thomas Germain (1726-1791), de réaliser un nouveau service, merveilleusement exubérant, pour Joseph Ier de Portugal (1756-1765). La réputation de Thomas Germain était telle que Louis XV, à la mort de l'artiste, en 1748, ordonna que fût chantée une messe de *requiem* en son honneur.

Assise sur un beau fauteuil canné, Anne-Denise Gauchelet est coiffée d'un fanchon de dentelle et vêtue d'une ample robe d'intérieur de satin gris, doublée de satin bleu, sous laquelle se voit une robe gris perle, galonnée d'or, ornée de dentelle et d'un nœud écarlate. Debout derrière elle, l'orfèvre tient un porte-mine et enlace ce qui semble être le modèle d'une belle aiguière aux formes rocaille. De l'autre main Germain désigne, sur l'étagère qui se trouve au fond, l'une de ses pièces à succès : un flambeau d'argent à trois bobèches dont le fût est orné d'un faune et d'une faunesse (plusieurs exemplaires en sont aujourd'hui connus). Chargée de la tenue des comptes, l'épouse, quant à elle, montre sur la table un grand registre ouvert, un encrier et quelques lettres. Le dessin enveloppant et les tonalités fanées de ce magnifique portrait sont très caractéristiques des dernières années de Largillierre.

• **Historique** : *M. Odiot père ; sa vente, Paris, 17-18 décembre 1850, n° 54 ; vente Odiot, Paris, hôtel Drouot, 25-26 mars 1869, n° 9 ; collection du duc Decazes ; collection Georges Sortais, vers 1900 ; Agnew, Londres; acquis de cette galerie en 1903 par Calouste S. Gulbenkian, Londres ; Fondation Calouste S. Gulbenkian, à Lisbonne, en 1969.* • **Expositions** : *1874, Paris, n° 286 ; 1909, Paris, n° 71 ; 1954, Paris; 1961-1963, Lisbonne, n° 20; 1964, Porto, n° 128; 1965, Oeiras, n° 150; 1999-2000, Lisbonne, n° 28; 2000-2001, Versailles, p. 78, n° 21, repr. p. 79* • **Bibliographie** : *Bapst, 1887, p. 57, 72 ; Bouilhet, 1908, p. 88 ; Vaillat, 1912, p. 51-52; R.A.F., mai 1920, repr. p. 220 ; Pascal, 1928a, p. 61, n° 60, pl. XXIII ; Babelon, Bottineau et Lafuel, 1965, p. 110, repr. ; Talbot, 1971, p. 8-9, fig. 9 ; Lastic, 1979b, p. 21, repr. i ; 1981, Montréal, p. 225-226, repr. p. 226, fig. IX ; Perrin, 1993, p. 17, 152, repr. p. 17 ; Opperman, 1996, p. 790 ; Rosenberg, 2001, p. 382.*

1736
H/t, 1,46 x 1,13 m
Signé et daté à droite sur la ceinture du fauteuil : « ...De Largillierre. 1736 »
Lisbonne, Fondation Calouste S. Gulbenkian

N°56 Portrait d'homme en chasseur

L'identité de ce chasseur est malheureusement impossible à préciser : à l'exception de son costume, sur lequel nous n'avons pas de lumière particulière, il ne porte en effet aucun signe distinctif autorisant la moindre hypothèse. La chasse étant un privilège attaché à la classe aristocratique, le type du portrait d'homme en chasseur est des plus traditionnels et les exemples que nous pourrions en donner sont extrêmement nombreux. Entre sa formation anversoise, ses différents séjours à Londres et son installation à Paris, Largillierre avait pu apprécier par lui-même la récurrence du thème dans la peinture européenne. L'*Autoportrait en chasseur* peint en 1699 par Alexandre-François Desportes pour sa réception à l'Académie royale de peinture et de sculpture (musée du Louvre), immédiatement présenté au Salon non loin des œuvres de notre artiste, est un jalon capital dans le renouvellement du genre : faisant la part bel au grand lévrier et au gibier mort – mais il était d'abord peintre animalier – Desportes se représente assis, après une partie de chasse, dans une attitude à la fois noble et détendue. Son justaucorps, à larges parements, s'ouvre sur une veste de velours bleu négligemment déboutonnée dans le haut. Ce type de chasseur en dentelle, de dandy des sous-bois, devait avoir le plus grand succès au XVIIIe siècle. Largillierre lui-même, vers 1715, avait peint le chef de famille de son très célèbre portrait collectif du Louvre dans une tenue et une attitude des plus élégantes.

Lorsqu'il revint sur le motif, au milieu des années 1720, ce fut avec une volonté accrue d'extravagance. Et ce n'est certainement pas sous l'influence de la jeune génération, mais au contraire au bénéfice de celle-ci que se fit cette évolution : que l'on compare le ravissant tableau de Jean-Marc Nattier représentant mademoiselle de Clermont prenant les eaux à Chantilly (Chantilly, musée Condé), peint en 1729, et l'on verra combien la manière du vieux Largillierre est infiniment plus dynamique, plus déliée, plus audacieuse et naturelle à la fois.

Il faudra attendre les années 1740 pour voir Nattier atteindre une maîtrise comparable. Assis au pied de quelque tertre boisé, notre chasseur se repose et nous indique la direction à suivre pour continuer la chasse sans lui. Le prétexte permet à Largillierre d'ouvrir largement le corps de son modèle, qu'il arrête dans une attitude aussi naturelle qu'élégante, et de dégager le costume sur lequel il a souhaité s'arrêter longuement : un lourd justaucorps marron glacé, doublé de satin bleu, s'écarte sur une veste elle aussi de satin bleu, richement galonnée d'argent, s'ouvrant sur une chemise à dentelle impeccablement blanche. Sous la perruque généreusement poudrée apparaît un visage plein, aux carnations chaudes et à l'expression avenante. Incandescent, le paysage alentour joue en contraste avec les couleurs froides du costume, et confère à l'œuvre, au-delà de sa fonction représentative, un pouvoir décoratif d'une exceptionnelle intensité.

• **Historique** : *Charles-Henry Mills, 1st Baronet Hillington ; vente, Londres, Christie's, 20 juillet 1956, n° 84 ; David Koester, Londres ; acquis sur le marché de l'art par le musée en 1967.* • **Bibliographie** : *Davis, 1956, p. 258, repr. ; Lauts, 1968, p. 76, n° 78, repr. pl. 78 ; 1981, Lauts, 1971, p. 41-46, repr. fig. 23-26 ; 1981, Montréal, p. 247, repr. ; Schweerts, 1994, t. II, p. 1045, t. XVIII, p. 610 ; Brême, 1998, p. 27, 51, repr. p. 72, fig. 61.*

Vers 1725-1727
H/t, 1,37 x 1,05 m
Karlsruhe, Staatliche Kunsthalle (inv. 2562)

N°57 *Portrait de John Bateman enfant en Cupidon*

Une tradition manifestement liée à l'historique du tableau identifie le modèle de celui-ci à John, 2nd Viscount Bateman (1721-1802). L'âge apparent de ce dernier – sept ou huit ans – permettrait donc de situer l'exécution de l'œuvre autour de 1728-1729, hypothèse que les caractères stylistiques du portrait rendent tout à fait soutenable. Le modelé rond du corps de l'enfant, l'élégance mesurée de la pose et l'harmonie chaude du coloris sont en effet en accord avec la manière développée par l'artiste dans les années 1720 et annoncent même le dessin parfois un peu boursouflé et les tons fanés des dernières œuvres (voir n° 55). La coiffure du modèle, surtout, est conforme à une mode que l'on ne voit guère se répandre avant cette époque (les cheveux tirés en arrière sur le dessus de la tête et bouclés sur les côtés, sorte d'adaptation libre de la coiffure alors en faveur chez les adultes ; voir n° 56). L'enfant était le fils de William, 1st Viscount Bateman (1696-1744), et de Lady Anne Spencer. Sans doute attaché à la cause du prince de Galles, donc lié au milieu jacobite (voir p. 28), William Bateman mourut exilé en France, ce qui expliquerait que son fils ait pu poser devant Largillierre à Paris.

Le choix de l'identité allégorique du modèle s'est porté sur le personnage de Cupidon. Sa nudité, à peine voilée par une belle draperie de satin orange, et sa pose élégante (rappelant celle de l'*Apollon du Belvédère*) expriment la beauté et la grâce dont l'enfant est déjà pourvu, mélange d'innocence toute pure et de sensualité menaçante à quoi se reconnaît le fils de Mars et de Vénus (lignage on ne peut plus flatteur pour les parents du modèle, qui eurent à choisir le prétexte allégorique). Esquissant un pas de côté, hypnotisant le spectateur de son regard clair, de son visage inexpressif et sidérant, l'enfant tient la torche avec laquelle il embrase les cœurs et, sournoisement, s'empare de son arc et de son carquois, où sont rangés des traits fraîchement taillés et joliment empennés de plumes multicolores. Le flottement onirique des formes alentour, le flamboiement de la végétation, la sérénité trompeuse du fond de paysage classique et l'atmosphère lourde de vapeurs brûlantes achèvent de donner au portrait sa charge mythologique. Cupidon fit au moins une victime, et John Bateman se maria, le 10 juillet 1748, à Élisabeth Sambroke. Il fut tour à tour membre du Parlement pour les districts d'Orford, Woodstock et Leominster, chef-intendant de ce dernier district, lord lieutenant de Herefordshire, lord de l'Amirauté et trésorier de la Maison du roi.

• HISTORIQUE : *peut-être peint pour William, 1st Viscount Bateman (1696-1744) ; à son fils John, 2nd Viscount Bateman (1721-1802), à Shobdon Court (Herefordshire) ; par héritage à son cousin William Hanbury, 1st Baron Bateman (1780-1845), à Kelmarsh (Northamptonshire) ; par descendance à William Hanbury, 2nd Baron Bateman (1826-1901) ; vente, Shobdon Court (Herefordshire), 20 juillet 1932, n° 306; Martin Crabbe, à Barnt Green (Worcestershire), en 1953 ; vente, Sotheby's, Londres, 10 juillet 1991, n° 21 (comme œuvre de Jean-Baptiste Van Loo) ; don anonyme au musée en 2003.* • EXPOSITIONS : *1953, Birmingham, n° 144 (comme œuvre de Jean-Baptiste Van Loo).* • BIBLIOGRAPHIE : *inédit.*

Vers 1728-1729
H/t, 1,365 x 1,055 m
Milwaukee, Marquette University, Haggerty Museum of Art

N°58 François et Yves-Joseph-Charles Pommyer

Ces deux enfants jouant avec un petit épagneul sont les fils aînés d'Yves-Joseph Pommyer, président trésorier de France au bureau des Finances d'Alençon, puis secrétaire du roi en 1719, et de Marie-Marguerite Lefèvre. De cette union naquirent encore Merry, Marie-Thérèse, Yves-Simon, Marie-Élisabeth et François-Emmanuel qui, semble-t-il, furent tous baptisés en l'église Saint-Merry, où Largillierre avait lui-même ses habitudes. Entre 1707 et 1722, Yves-Joseph Pommyer ne commanda pas moins de huit portraits à l'artiste : celui de son épouse tout d'abord, en 1707, puis le sien propre l'année suivante et, vers 1710-1712, celui de leurs deux aînés que nous présentons. Les cinq autres enfants furent tous peints en 1722. Cet ensemble très remarquable resta dans la descendance de la famille jusqu'à la vente de 1993 où il fut, hélas, dispersé.

Si les prénoms de ces deux enfants nous sont connus, nous ignorons en revanche auquel des deux modèles chacun correspond. De même, nous ne connaissons que la date de naissance de François, baptisé le 23 mars 1703 à Saint-Merry. Si François est l'enfant représenté à gauche, son frère, peut-être un peu plus jeune, serait né en 1704, ce qui n'est pas impossible, Merry et Marie-Thérèse étant eux-mêmes nés vers 1705-1706. Si François se trouve ici à droite, il faudrait alors supposer que son frère était né en 1702. Il a été suggéré que les deux frères aient été jumeaux, ce qui expliquerait que ce tableau soit le seul double portrait de la série. L'idée est séduisante, mais il semble qu'il y ait au moins un an de différence entre les deux enfants.

François fit une carrière semblable à celle de son père : tout d'abord trésorier général au bureau des Finances d'Alençon, il épousa Élisabeth de Lorne, fille d'un secrétaire du roi dont la charge lui revint le 2 mars 1731. Il mourut en 1779. Yves-Joseph-Charles, quant à lui, devint écuyer, avocat au Parlement, épousa Marie-Élisabeth Huart, dont il eut quatre enfants, et s'éteignit avant 1777.

• **Historique :** *probablement Yves-Joseph-Charles Pommyer; probablement Jacques-Jean-Baptiste-Simon Pommyer, son fils aîné ; marquis Charles Pommyer de Rougemont (1801-1876); baron Alfred de Jacquier de Rosée (1871-1935); Emmanuel de Jacquier de Rosée; collection du baron Alfred Jacquier de Rosée en 1928 ; vente, Londres, Christie's, 19 décembre 1993, n° 43 ; acquis à cette vente par Richard Green, Londres; vente, New York, Sotheby's, 23 mai 2001, p. 46-49, n° 31 ; acquis à cette vente par l'actuel propriétaire.* • **Expositions :** *1928, Paris, p. 37, n° 114, repr. pl. XI (1re éd.), p. 42, n° 129, repr. pl. XI (2e éd.).* • **Bibliographie :** *Gronkowski, 1928, p. 331, repr. p. 332 ;* Beaux-Arts, *1er juillet 1928, n° 13, p. 196 ;* Le Gaulois artistique, *22 juin 1928, p. 257 ; Lastic, 1985, p. 44, repr. (détail) ; MacGregor, 1993, p. 41 ; Jeffares, 2001, p. 237, 245, 250, n° 27.* • **Œuvres en rapport :** *en 1964 est passé en vente un dessin, peut-être autographe, de l'ensemble de la composition (pierre noire et rehauts de blanc sur papier beige, 0,252 x 0,332 m ; Londres, Sotheby's, 1er décembre 1964, n° 102).*

Vers 1710
H/t, 0,749 x 0,921 m
France, collection particulière

N° 59 Portrait d'un jeune prince

Très ambitieux dans sa composition, ce portrait répondit sans doute à une commande particulièrement importante. Aussi a-t-on toujours associé les plus hautes origines au modèle supposé de l'œuvre. Lors de la vente de 1971, le tableau fut présenté comme portrait du duc de Berry. Myra Nan Rosenfeld, dans le catalogue de l'exposition de Montréal (1981), proposa d'y reconnaître le jeune Louis XV, vers 1714. Georges de Lastic, enfin, avança à plusieurs reprises l'hypothèse d'une identification au second duc de Bretagne, vers 1712. Le Grand Dauphin, fils de Louis XIV et de la reine Marie-Thérèse, eut trois fils : Louis, duc de Bourgogne (1682-1712), Philippe, duc d'Anjou (1683-1746) et Charles, duc de Berry (1686-1714) déjà cité. Ce dernier mourut en 1714 sans postérité ; le duc d'Anjou devint roi d'Espagne, sous le nom de Philippe V, à la condition que sa descendance ne prétendît jamais à la couronne de France ; quant au duc de Bourgogne, il fut le seul à pouvoir assurer la continuité de la maison de Bourbon. De son union avec Marie-Adélaïde de Savoie, en 1697, naquirent trois fils : Louis, premier duc de Bretagne (1704-1705), Louis, deuxième duc de Bretagne (1707-1712) et Louis, duc d'Anjou (1710-1774), futur Louis XV. Le chardonneret ouvrant largement ses ailes sur une branche épineuse, à gauche, joue un rôle évidemment capital dans l'identification du modèle du tableau : symbole de résurrection, déployé au-dessus de l'épine évoquant la crucifixion, l'emblème fait allusion à quelque funeste événement. La façon dont l'enfant serre contre lui son grand lévrier barzoï est à la fois l'expression d'une recherche de protection et d'un serment de fidélité. Quant à la cuirasse à lambrequins et aux jambières qu'il porte, elles font évidemment allusion à la carrière militaire qui, selon Platon, fonde la légitimité de la classe aristocratique. L'identification du modèle au duc de Berry est impossible : il était âgé de 26 ans en 1712 ! Le second duc de Bretagne, quant à lui, avait 5 ans, ce qui convient à l'âge apparent du modèle : ses parents moururent touts deux en février 1712, à six jours d'intervalle, mettant ainsi en péril la succession de Louis XIV. Une allusion aux espoirs fondés sur l'enfant dans la renaissance de cette branche aurait alors un sens. Mais le jeune duc mourut lui-même en mars 1712, ce qui ne put laisser à son entourage, et moins encore au peintre, le temps de cette méditation. De plus, le futur Louis XV était né depuis 1710, et quoique la branche fût fragile, il y avait donc encore quelque espoir qu'elle donnât un roi. Mais alors, ne pourrait-il en effet s'agir du jeune Louis XV, vers 1715-1716, arrière-petit-fils de Louis XIV, sur qui tous les espoirs étaient désormais fondés ? L'hypothèse serait recevable si l'enfant n'avait eu les plus beaux yeux noirs du monde, à la différence de ce jeune prince aux yeux bleus.

• **HISTORIQUE :** *collection de S. R. Christie-Miller en 1971 ; vente, Londres, Sotheby's, 8 décembre 1971, p. 87, n° 120 ; acquis par le musée en 1971.* • **EXPOSITIONS :** *1973, Northridge, n° 23 ; 1981, Montréal, p. 259-263, n° 52, repr. p. 259.* • **BIBLIOGRAPHIE :** The J. Paul Getty Museum, *1975, n° 44 ; Lastic, 1982, p. 31, repr. p. 29, fig. 8 ; Lastic, 1983a, p. 37 ; Lastic, 1983b, p. 425 ; Lastic, 1983c, p. 79, 82, note 47 ; Rosenfeld, 1984, p. 71-72, repr. p. 71, fig. 4 ; Lastic, 1985, p. 44 ; Brême, 1998, repr. p. 64, fig. 54.* • **ŒUVRES EN RAPPORT :** *une réduction d'atelier est aujourd'hui conservée au Musée national d'art occidental de Tokyo (huile sur toile, 0,65 x 0,53 m).*

Vers 1712
H/t, 1,46 x 1,15 m
Malibu, The J. Paul Getty Museum (inv. 7.25.74)

N°60 *Portrait du seigneur de Landreville*

Apparu sur le marché de l'art parisien en 1995, sous l'identité très imprécise de « Seigneur de Landreville », ce très beau portrait représente vraisemblablement Claude François de Maillard, marquis de Landreville, né en 1696, de Claude Charles de Maillard et de Madeleine de Vasinas d'Inecourt. Lieutenant général des armées du roi, chef de brigade de ses Gardes du corps, Claude François Maillard épousa Angélique de Ravaux, devint premier gentilhomme de la Chambre du roi de Pologne, Stanislas Leczinski (duc de Lorraine et de Bar), et mourut le 11 juin 1768. Il aurait eu environ 35 à 40 ans quand le tableau fut peint, ce qui n'est pas impossible, la perruque longue et blanche vieillissant sensiblement le modèle à nos yeux, aujourd'hui peu faits à cette mode. La coiffure assez plate sur le dessus de la tête autorise en effet une datation aux alentours de 1730, datation que la tonalité brune du tableau oblige sans doute à chercher autour de 1734-1735. Cette dominante chromatique très chaude, mais un peu sourde, est habilement rehaussée des accents rouges du fauteuil, de la doublure du justaucorps, des pièces de titre du livre, et du rideau. En contraste, le jabot et les poignets de dentelle de la chemise, d'un blanc froid, soulignent les carnations du visage et des mains. Quelques belles touches de couleur rouille, sur le vêtement, sur le bureau et dans les fonds, permettent une heureuse transition entre le brun et les différents tons de rouge. La pose du modèle n'est pas sans rappeler celle de *François-Jules du Vaucel*, peint en 1724 (Paris, musée du Louvre) : même genre de fond d'architecture, à gauche, de ciel et de frondaisons, au centre, et de draperie, à droite ; même bureau, exactement ; pose identique du bras droit sur un grand livre et même dessin de la main. Le peintre se montre simplement un peu plus austère, peut-être, dans le tableau que nous présentons. Âgé de près de 80 ans, il se révèle encore capable néanmoins d'une verve et d'une fraîcheur tout à fait singulières : la charpente très solide de la composition, l'allure aristocratique du modèle, le dessin très assuré des mains, le modelé raffiné des carnations, la variété subtile des empâtements et de la palette, tout ici fait la preuve d'un esprit très ferme, d'un oeil exceptionnellement vif, d'un génie demeuré intact. Et s'il faut croire Dezallier d'Argenville, qui aurait souhaité que Largillierre se fût arrêté de peindre à cet âge précisément, ce n'est qu'avec la plus grande circonspection.

• **Historique** : *dans la descendance du modèle jusqu'en 1995 ; vente, Paris, hôtel Drouot, 11 avril 1995, p. 20, n° 14, repr. p. 21 ; acquis lors de cette vente par Hall & Knight, Londres ; collection privée ; vente, New York, Sotheby's, 23 mai 2001, p. 166, n° 129, repr. p. 167 ; acquis lors de cette vente par l'actuel propriétaire.* • **Expositions** : *jamais exposé.* • **Bibliographie** : Le journal des arts, *n° 14, mai 1995, p. 48 ; Brême, 1998, p. 52, repr. fig. 44 ;* L'estampille-l'Objet d'art, *juillet-août 2001, p. 80.*

Vers 1730-1735
H/t, 1,35 x 1,03 m
France, collection particulière

N° 61-62 Fruits

Entre autres natures mortes, Largillierre brossa quelques dessus de porte avec une vigueur particulièrement remarquable. Ces deux compositions de fruits, dont l'harmonie chromatique n'est pas sans rappeler – quoique dans des tonalités plus chaudes – la grande composition du Louvre (n° 7), faisaient peut-être partie du décor familier de l'artiste. L'inventaire de ses biens, dressé en 1746, comprend en effet plusieurs œuvres de ce genre, parmi lesquelles « deux tableaux dessus de porte dans leur filets de bois sculpté et doré, peints sur toille, représentant des fruits » (Lastic, 1981, p. 17). La fonction décorative très spécifique de ce genre de toile et la distance à laquelle elles devaient nécessairement être vues ne furent peut-être pas étrangères à l'inflexion qui marque la manière de l'artiste au cours des années 1690. Abandonnant le style descriptif des tableaux de cabinet réalisés entre 1677 (n° 40 et 41) et le milieu de la décennie suivante (n° 44, 45 et 47), Largillierre trouve en effet dans le répertoire décoratif un support particulièrement adapté à ses préoccupations de coloriste engagé : rythmes puissants, matières généreuses, touche rapide, dissolution du ton local dans l'effet plus général de la couleur. Cette tendance à forcer le pur pouvoir expressif des moyens plastiques se fait sentir non seulement sur l'écriture du peintre, mais aussi sur l'iconographie de ses tableaux. Poussant ici le rouge brique des grenades et là le bleu des figues, saturant l'éclat vermillon des cerises ou le jaune acide des noisettes, Largillierre tend vers l'artifice jusqu'à faire de ses fruits de véritables portraits de caractère : les figues ouvertes, dans les deux tableaux, ressemblent à des organismes vivants qui, de leurs mâchoires puissantes, menaceraient le spectateur ; congestionnées, les grenades se crèvent la panse et se libèrent soudain ; la citrouille se balance et s'ensommeille, tandis que les noisettes agitent frénétiquement le panache de leur involucre. Traités avec plus de naturel, les autres fruits présentent cette rusticité un peu âpre qui retiendra bientôt Chardin : la pruine des raisins, notamment, permet à Largillierre de faire jouer en contraste toute une gamme de nuances chromatiques, d'effets de matières, d'ombres et de lumières, de textures mates ou brillantes. L'élan baroque et organique qui sature le premier plan de ces deux compositions a permis à Largillierre d'être plus allusif encore dans la description des paysages qui animent le fond des tableaux : quelques cimes d'arbres se découpant sur un ciel chargé de nuages. Enfin, la vue *di sotto in sù* (autrement dit en contre-plongée) achève de donner une monumentalité particulièrement bienvenue à cet ensemble décoratif.

[61] • HISTORIQUE : *acquis à une date inconnue par l'actuel propriétaire.* • EXPOSITIONS : *jamais exposé.* • BIBLIOGRAPHIE : *Lastic, 1968, p. 239, repr. p. 239, fig. 6 ; Faré, 1976, p. 62, repr. fig. 79.* • ŒUVRES EN RAPPORT : *pendant du numéro suivant.*

[62] • HISTORIQUE : *acquis à une date inconnue par l'actuel propriétaire.* • EXPOSITIONS : *jamais exposé.* • BIBLIOGRAPHIE : *Lastic, 1968, p. 239, repr. p. 238, fig. 5 ; Faré, 1976, p. 62, repr. fig. 78.* • ŒUVRES EN RAPPORT : *pendant du numéro précédent.*

[61] Fruits sur une draperie rouge
Vers 1695-1700
H/t, 0,45 x 1,12 m
France, collection particulière

Fruits sur une draperie bleue [62]
Vers 1695-1700
H/t, 0,45 x 1,04 m
France, collection particulière

[61]

[62]

N°63 Nature morte à l'aiguière

Après avoir conçu la nature morte comme le lieu d'une représentation fidèle du monde des objets (1677-1690), après avoir étendu au genre ses interrogations sur les moyens mêmes de la peinture (1690-1715), Largillierre en vient à poser enfin le principe d'un équilibre entre ces deux orientations premières. Il réduit à cette fin le nombre des objets et, pour concentrer davantage l'attention du spectateur sur leurs diverses brillances, ouvre grand l'espace alentour : une aiguière d'argent, une petite sphinge de bronze, un plat de pêches, une urne couverte, une cassolette dans l'ombre et, au premier plan, une montre. Une grande draperie de velours rouge, doublée de soie ocre brochée, ferme la composition au fond et sur le côté gauche, tandis qu'une fenêtre, du côté droit, ouvre sur la nature. La sobriété volontaire du décor contraste avec la richesse du groupe d'objets composé par le peintre au cœur de son tableau : les brocarts de la grande draperie ont ainsi été réduits à quelques vagues indices, sur le petit revers au premier plan, et au-dessus de la cassolette ; le paysage, à droite, n'offre rien de la luxuriance dont nous savons le maître capable (voir n° 6, 7, et l'ouverture sur un parc dans le n° 49). Très subtilement, Largillierre a réuni tous les indices de la richesse, mais les a neutralisés par un dispositif volontairement inadapté. Il entend ainsi dénoncer le tableau – le sien et tous les autres – en tant que lieu d'un artifice constituant l'enjeu même de l'acte pictural. Il ne peut plus, dès lors, décrire attentivement les objets dans la vraisemblance de leur rencontre ; il ne peut davantage les assujettir plus longtemps aux caprices de son pinceau. Ce qui le fascine désormais, c'est le moment d'un renversement sur lequel il concentre toute son attention et la nôtre : quand l'objet cesse-t-il d'être lui-même pour s'élever à son simulacre ? Quand la peinture cesse-t-elle d'être un magma informe pour prendre corps, au sens propre, et devenir illusion ? Ce n'est donc plus l'objet en lui-même qui intéresse Largillierre, mais la frontière ténue qui sépare la matière qui le constitue de la matière qui le représente. Cette interrogation mélancolique sur l'être en tant que passage rappelle naturellement le peintre à des symboles premiers : sur l'aiguière, une chimère semble prévenir le spectateur du danger qu'il y aurait à se perdre dans le reflet nacré de la panse du vase ; une sphinge antique veille sur quelque éternelle question ; pour riche qu'il soit, le plat glisse et les pêches sont au bord de l'abîme ; l'urne est fermée comme le serait un vase canope de l'ancienne Égypte ; de la cassolette s'élève l'encens des âmes égarées. Et la montre, de tout cela, se porte garante.

• **Historique** : *collection du baron de x… ; sa vente, Paris, galerie Georges Petit, 15 mai 1931, n° 29, repr.*
• **Expositions** : *jamais exposé.* • **Bibliographie** : *Lastic, 1968, p. 239, repr. p. 240, fig. 7 ; Lastic, 1983c, p. 80, 82, notes 59, 60, repr. p. 80, fig. 12 ; Brême, 1998, p. 31-32, 52, repr. p. 29, 32, fig. 26.*

Vers 1720-1730
H/t, 0,69 x 1,04 m
France, collection particulière

N° 64 Autoportrait

Comme François de Troy et Hyacinthe Rigaud, Largillierre fit tout au long de sa carrière de très nombreux autoportraits, destinés à ses proches, amis et fidèles clients. Celui-ci est le plus tardif que nous connaissions. La pose s'inspire très directement d'un autre autoportrait, réalisé quelques années auparavant, vers 1720, et conservé au musée des Augustins de Toulouse. Quelques différences sont à noter néanmoins : le grand manteau de velours rouge est devenu d'un brun profond, la perruque s'est sensiblement raccourcie et, au second plan, un châssis portant une toile est apparu, comparable à celui que nous avons vu dans l'*Autoportrait* de 1711 (voir n° 1). Les années écoulées ont surtout marqué la physionomie du peintre : ses traits en effet se sont un peu affaissés, son regard s'est chargé de mélancolie et son expression est devenue sensiblement plus grave. De meilleure facture que l'exemplaire conservé au musée Fabre de Montpellier, ce tableau fut offert par le peintre à sa fille, Marguerite Élisabeth qui, le 13 janvier 1726, venait de se marier (signé et daté au dos de la toile originale : « portraict/de Nicolas de Largillierre/né à Paris le 10 octobre 1656/peint par luy meme/1726/Et donné/à Marguerite Elisabet de Largillierre/sa fille/Epouse/du S. Jean Batiste houzé de La Boulaye/Equier Cons. Du Roy com.re des guerres »). Largillierre a répondu aux tonalités chaudes et fanées de son manteau et de la toile couverte d'ocre rouge posée derrière lui – il travaillait alors, comme la plupart des artistes français, sur des supports ainsi préparés – par le jeu très raffiné de gris froids et diversement colorés qui modèlent ses carnations et sa chevelure. Son teint s'en trouve merveilleusement éclairci et développe encore cette luminosité chargée de couleurs, cette fraîcheur presque nacrée qui avaient attiré au peintre la faveur de ses nombreux modèles. Mais si l'apparence se veut toujours aussi séduisante, le propos a changé : après avoir considéré le monde avec quelque hauteur durant ses années de jeunesse (voir n° 14), après avoir exprimé la volonté de son engagement et le désir d'en partager l'idéal (voir n° 1), Largillierre en vient à l'essentiel et propose, pour tout sujet de réflexion, son visage de vieux Casanova d'atelier, fatigué d'avoir tant de fois porté le masque des autres et lassé de voir le monde se mirer dans ses yeux. Mais soutenu par son désir de peindre comme par son souffle même, Largillierre ne posera pas pour autant les pinceaux et, jusqu'en 1743, continuera d'étonner la bonne société en égrenant ses portraits comme autant de bons mots inlassablement répétés, des mots parfois un peu convenus, mais tellement polis au métier du maître qu'ils pouvaient presque se passer de son esprit, désormais, sans rien perdre de leur charme. À moins que le peintre, dans un sursaut d'intérêt pour quelque modèle choisi (voir n° 55), ne se fût livré à un ultime exploit.

• HISTORIQUE : *collection Legrand, Paris ; sa vente, Paris, 21 novembre 1827, n° 43 ; vente, Honfleur, 6 mars 1977 ; acquis lors de cette vente par l'actuel propriétaire.* • EXPOSITIONS : *jamais exposé.* • BIBLIOGRAPHIE : *Lastic, 1979b, p. 22, repr. p. 23, fig. h ; Lastic, 1983a, p. 37 ; Brême, 1996a, p. 58, repr. p. 58 ; Brême, 1998, p. 27, repr. p. 27, fig. 23.* • ŒUVRES EN RAPPORT : *réplique d'atelier de belle qualité au musée Fabre de Montpellier (huile sur toile, 0,79 x 0,63 m).*

1726
H/t, 0,807 x 0,648 m
Château de Parentignat (Puy-de-Dôme), collection du marquis de Lastic

N°65 La Musique

À l'origine, cette allégorie de la Musique avait pour pendant une allégorie de la Peinture aujourd'hui perdue. Fort heureusement, plusieurs répliques d'atelier, de qualité variable (voir ci-dessous), permettent de se faire une idée très précise des deux compositions. Ce témoignage est d'autant plus précieux que le tableau de Quimper n'est qu'un fragment : le plan de la console se poursuivait à gauche, bientôt découvert par le tapis de table ; une lourde tenture de couleur prune pendait au-dessus et, au fond, se voyait une colonne, à contre-jour sur les frondaisons d'un parc. La qualité d'exécution de ce tableau ne laisse aucun doute sur son caractère pleinement autographe : les accents de lumière posés avec vigueur sur la grande aiguière baroque, la subtilité des brillances colorées animant la petite coupe d'argent soutenue par des *putti* en vermeil, le froissement très graphique du livret de musique, les laques vertes et transparentes qui donnent sa belle texture au lourd tapis de velours, sous le violon, sont la marque du grand peintre. L'évolution de Largillierre, au tournant du siècle, se fait ici sentir et révèle un artiste soudainement oublieux de la forme et plus soucieux de pure picturalité. Il lui faudra, néanmoins, encore abandonner un peu de l'emphase de la composition, un peu de la multiplicité et de la complexité des objets, pour trouver enfin, dans sa *Nature morte à l'aiguière* (n° 63), le lieu d'une méditation plus sereine sur les mystères de la représentation. Trop attentifs aux seuls pouvoirs décoratifs de la nature morte, Monnoyer et Blin de Fontenay, les deux grands représentants du genre en France à cette époque, se détournèrent de telles préoccupations, comme les grands peintres de la génération suivante, Desportes et l'élève attentif de Largillierre que fut pourtant Oudry. Il n'y eut que Chardin pour relever le défi, prolonger la pensée de son aîné et la porter à un degré de poésie inégalé.

• **HISTORIQUE :** *collection Jean-Marie de Silgny ; légué par lui au musée en 1864.* • **EXPOSITIONS :** *1987, Cholet, p. 13, ss n° ; Okayama, Kitakyushu, 1989, p. , n° 34, repr.* • **BIBLIOGRAPHIE :** *1873, catalogue du musée, n° 25 (comme œuvre de Cerquozzi) ; Lastic, 1981, p. 6, repr. ; Lastic, 1984, p. 40 ; Lastic, 1985, p. 43, repr. p. 40, fig. 6 (détail, reproduit à l'envers) ; Cariou, 1993, p. 40, repr. ; Brême, 1998, p. 50, repr. p. 50, fig. 41 ; Brême, 1999, repr. p. 43 ; Bayser et Julia, 2001, p. 27, repr.* • **ŒUVRES EN RAPPORT :** *il existe plusieurs répliques d'atelier de cette composition et de son pendant* La Peinture *(l'original de celui-ci étant perdu) ; la plus belle est passée en vente à Paris, palais Galliera, le 21 juin 1974, n° 19, repr. (huile sur toile, 0,806 x 1,137 m, collection particulière) ; une autre, de qualité inférieure, également avec son pendant, est passée en vente à Paris, hôtel Drouot, le 17 novembre 1995, p. 10, n° 18, repr. p. 11 (huile sur toile, 114,5 x 157,5 m, Paris, collection particulière) ; une version en ovale se trouve dans une collection particulière parisienne.*

Vers 1695-1700
H/t, 0,79 x 0,87 m
Quimper, musée des Beaux-Arts (873-1-169)

ADHEMAR Hélène, « Mignard portraitiste de Jacques II », *Cahiers de la société Poussin*, n° 3, mai 1950.
ALAZARD J., *Cent chefs-d'œuvre du musée national des Beaux-Arts d'Alger*, Paris, 1951.
ARASSE Daniel, *Le détail, pour une histoire rapprochée de la peinture*, Paris, 1992.
BABELON Jean, BOTTINEAU Yves et LEFUEL Olivier, *Les grands orfèvres de Louis XIII à Charles X*, Paris, 1965.
BAPST Germain, *Études sur l'orfèvrerie française au XVIIIe siècle, les Germain orfèvres-sculpteurs du roy*, Paris, Londres, 1887.
BARRAZ F., *Peter Stoppa, 1621-1701*, Cully, 1990.
BAYSER Patrick de et JULIA Isabelle, « Les peintres français », hors-série *Beaux-Arts Magazine*, décembre 2001.
BELLIER DE LA CHAVIGNERIE Emile et AUVRAY Louis, *Dictionnaire général des artistes de l'école française depuis l'origine des arts du dessin jusqu'à nos jours*, 3 vol., Paris, 1882-1886.
BERGSTRÖM Ingvar, GRIMM Claus, ROSCI Marco, FARE Michel et Fabrice, GAYA-NUÑO Juan Antonio, *Natura in posa, La grande stagione della natura morta europea*, Milan, 1977.
BEURDELEY Michel, « Bilan et perspectives », *L'Œil*, n° 284, mars 1979.
BEYLIE Léon de, *Musées et collections de France, le musée de Grenoble*, Paris, 1909.
BLANC Charles, *Histoire des peintres de toutes les écoles, école française*, 3 vol., Paris, 1865.
BLUNT Anthony, *Art and Architecture in France 1500-1700*, Harmondsworth, 1973.
BLUNT Anthony, *Art and Architecture in France 1500-1700*, Harmondsworth, 1988.
BOCK Henning, *Gemäldegalerie Berlin, Gesamtverzeichnis*, Berlin, 1996.
BOCK Henning, *La galerie de peinture de Berlin*, Paris, 1997.
BORRIES Johann Eckart, « Bermerkung zu einer Zeichnung von Largillierre », *Jahrbuch der Staatlichen Kunstsammlungen in Baden-Würtemberg*, vol. III, 1967.
BOUILHET Henri, *L'orfèvrerie française aux XVIIIe et XIXe siècles*, Paris, 1908.
BREJON DE LAVERGNEE Arnauld et DORIVAL Bernard, « La peinture française au XVIIe siècle (1610-1715) », *Baroque et classicisme au XVIIe siècle en Italie et en France*, Genève, 1979.
BREME Dominique, « Les tableaux de Parentignat : à l'école du grand goût », *L'Objet d'art*, n° 304, juillet-août 1996a.
BREME Dominique, « Portrait d'un jeune gentilhomme anglais par Nicolas de Largillierre (1656-1746) », *L'Objet d'art*, n° 304, juillet-août 1996b.
BREME Dominique, « L'éveil du portrait-soleil », L'art du portrait sous Louis XIV (« Dossier de l'art », n° 37), avril 1997a.
BREME Dominique, « Nicolas de Largillierre, portraitiste fulgurant », *L'art du portrait sous Louis XIV* (« Dossier de l'art », n° 37), avril 1997b.
BREME Dominique, *François de Troy 1645-1730*, Paris, 1997c.
BREME Dominique, *Largillierre, un géant retrouvé* (« Dossier de l'art », n° 50 S), septembre 1998.
BREME Dominique, « Chardin et la nature morte à l'aube des Lumières », *Chardin* (« Dossier de l'art », n° 60), septembre 1999.
BRICE Germain, *Description de la ville de Paris et de tout ce qu'elle contient de plus remarquable*, Paris, 1725.
BRIERE Gaston, « Rectifications et additions au catalogue du musée de Versailles par E. Soulié », *Bulletin de la Société de l'histoire de l'art français*, 1911.
BRIERE Gaston, « Remarques sur des portraits par Nicolas de Largillierre conservés dans la collection Lacaze au Louvre », *Bulletin de la société de l'histoire de l'art français*, 1918-1919.
BRIERE Gaston, « Les portraits de l'échevin Desnots et le tableau de l'Avènement du duc d'Anjou à la couronne d'Espagne par Largillierre », *Bulletin de la société de l'histoire de l'art français*, 1919.
BRIERE Gaston, « Notes sur les tableaux de Largillierre commandés pour l'hôtel de ville de Paris », *Bulletin de la société de l'histoire de l'art français*, 1920.
BRIERE Gaston, *Musée national du Louvre, catalogue des peintures exposées dans les galeries*, t. I, école française, Paris, 1924.
BRIERE Gaston, DUMOLIN Maurice et JARRY Paul, *Les tableaux de l'Hôtel-de-ville de Paris*, Paris, 1937.
BRUSON Jean-Marie et LERIBAULT Christophe, *Peintures du musée Carnavalet, catalogue sommaire*, Paris, 1999.
CABANNE Pierre, *Le nouveau guide des musées de France*, Paris, 1997.
CANTAREL-BESSON Y., *Musée du Louvre (janvier 1797-juin 1798) Procès-verbaux du Conseil d'administration du « Musée central des arts »*, Paris, 1992.
CARIOU A., *Le musée des Beaux-Arts de Quimper*, Paris, 1993.
CAYEUX Jean de, « Rigaud et Largillierre, peintres de mains », *Études d'art publiées par le musée national des Beaux-Arts d'Alger*, n° 6, 1951.
CHAMPEAUX A. de, *L'art décoratif dans le vieux Paris*, Paris, 1898.
CHAUSSINAUD-NOGARET Guy, *Voltaire et le siècle des Lumières*, Bruxelles, 1994.
CHASTEL André, *L'art français, ancien régime 1620-1775*, Paris, 1995.
CHOMER Gilles, *Peintures françaises avant 1815, la collection du Musée de Grenoble*, Paris, 2000.
CLAY Jean, *Le romantisme*, Paris, 1980.
CLEMENT DE RIS Louis Torterat comte, « Musée de province : le musée de Grenoble », *Gazette des Beaux-Arts*, 1860, t. II.
CLEMENT DE RIS Louis Torterat comte, *Les musées de province*, 2 vol., Paris, 1872.
COMPIN Isabelle et ROQUEBERT Anne, *Catalogue sommaire illustré des peintures du musée du Louvre et du musée d'Orsay*, T. IV, Paris, 1986.
CONSTANS Claire, *Musée national du château de Versailles, Les peintures*, 3 vol., Paris, 1995.
COQUERY Emmanuel, « Le portrait en tableau », *Visages du Grand Siècle*, Paris, 1997.
COSNAC comte Gabriel-Jules de, et PONTAL Édouard, *Mémoires du marquis de Sourches sur le règne de Louis XIV*, Paris, t. IV, 1885.
CROFT-MURRAY Edward, *Decorative Painting in England 1537-1837*, T. I, Londres, 1962.

DACIER Emile, *Le musée de la Comédie-Française*, Paris, 1905.

DACIER Emile, VUAFLART Albert et HEROLD Jacques, *Jean de Jullienne et les graveurs de Watteau au XVIIIe siècle*, 3 vol., Paris, 1921-1929.

DANGEAU Philippe de Courcillon marquis de, *Journal du marquis de Dangeau*, publié par MM. Soulié, Dussieux, Chennevières, Mantz et Montaiglon, Paris, 19 vol., 1854-1860.

DAVIS Franck, « A Page for Collectors. The Man who went back », *The Illustrated London News*, 18 août 1956.

DAYOT Armand, « Largillierre », *L'art et les artistes*, avril 1928.

DEZALLIER D'ARGENVILLE Antoine-Joseph, *Abrégé de la vie des plus fameux peintres*, Paris, T. IV, 1762.

DIMIER Louis (dir.), *Les peintres français du XVIIIe siècle*, Paris et Bruxelles, 2 vol., 1928-1930.

DORBEC Prosper, « Largillière dans sa résidence de la rue Geoffroy-L'Angevin », *Revue du dix-huitième siècle*, 1913, n° 3.

DORIVAL Bernard, *La peinture française du XVIIe siècle au musée de Grenoble*, Grenoble, 1974.

DUMON-WILDEN L., *Le portrait en France au XVIIIe siècle*, Bruxelles, 1909.

EISLER Colin, *Complete Catalogue of the Samuel H. Kress Collection : European Paintings, Excluding Italian*, Oxford, 1977.

EISLER Colin, *La peinture dans les musées de Berlin*, Paris, 1996.

ERGMANN Raoul, « La Société des Amis du Louvre », *Les donateurs du Louvre*, Paris, 1989.

FAHY E. et WATSON F.J.B., *The Wrightsman Collection, Volume V, Paintings, Drawings, Sculpture*, New York, 1973.

FARE Michel, *La nature morte en France*, Genève, 1962.

FARE Michel et Fabrice, *La vie silencieuse en France, la nature morte au XVIIIe siècle*, Fribourg, 1976.

FERMIGIER André, « Les pantoufles de M. Le Brun », *Le Monde*, 3 décembre 1981.

FLORISOONE Michel, *Portraits français*, Paris, 1946.

FLORISOONE Michel, « Sur les traces du grand portraitiste Claude Lefebvre », *L'amour de l'art*, 1947, vol. II.

FLORISOONE Michel, *Le dix-huitième siècle*, Paris, 1948.

FONTAINE André, *Les collections de l'Académie royale de peinture et de sculpture*, Paris, 1910.

FOUCART Bruno, « Catalogues, la forme et le fond », *Connaissance des arts*, juillet-août 1987.

FOURNIER Édouard, *Le livre commode des adresses de Paris pour 1692, par Abraham du Pradel*, suivi d'appendices, précédé d'une introduction et annoté par Édouard Fournier, Paris, 1878.

GAEHTGENS Thomas et LUGAND Jean, *Joseph-Marie Vien 1716-1809*, Paris, 1988.

GAVARD Charles, *Galeries historiques de Versailles*, t. IX, Paris, 1838.

GERSON Horst, *Ausbreitung und Nachwirkung der holländischen Malerei des 17 Jahrunderts*, Haarlem, 1942.

GIELLY L., Voltaire, documents iconographiques, Genève, 1948.

GIRODIE André, « Les Titon, amateurs d'art et le *Parnasse français* », *Bulletin de la société de l'histoire de l'art français*, 1918.

GOWING Lawrence, *Les peintures du Louvre*, 2 vol., Paris, 1996.

GRATE Pontus, « Largillierre et les natures mortes de Grenoble », *La revue du Louvre et des musées de France*, 1961, n° 1.

GRIMM Claus, *Natures mortes italiennes, espagnoles et françaises*, Paris, 1996.

GRONKOWSKI Camille, « L'exposition N. de Largillierre au Petit Palais », *Gazette des Beaux-Arts*, t. XVII, juin 1928.

GUIFFREY Jules et MARCEL Pierre, *Inventaire général des dessins du musée du Louvre et du musée de Versailles, école française*, 10 vol., Paris, 1907-1928.

HANNEMA Dirk., *Kunst in oude sfeer*, Rotterdam, 1952.

HANNEMA Dirk., *Beschrijvende catalogus van de schilderijen, beeldhouwwerken, aquarellen en tekeningen*, Rotterdam, 1967.

HATT Jacques, « Relations du peintre Largillierre avec l'Alsace », *Trois siècles d'art alsacien (1648-1848), Archives alsaciennes d'histoire de l'art*, 1948.

HAUG Hans, « Le style Louis XIV à Strasbourg », *Archives alsaciennes d'histoire de l'art*, 1924.

HAUG Hans, « La Belle Strasbourgeoise », *Archives alsaciennes d'histoire de l'art*, 1936.

HAUG Hans, « La Belle Strasbourgeoise », *Bulletin de la société française d'histoire de l'art*, 1937.

HAUG Hans, « La Belle Strasbourgeoise », *Saisons d'Alsace*, 1963a, n° 8.

HAUG Hans, « La Belle Strasbourgeoise », *Cahiers alsaciens d'archéologie, d'art et d'histoire*, 1963b.

HAUG Hans, « La Belle Strasbourgeoise », *La revue du Louvre et des musées de France*, 1964, n° 3.

HECHT P., « Candle light and dirty fingers, or royal virtue in disguise », *Simiolus*, 11, 1980.

HENNUS M. F., « Frits Lugt, kunstvorser, kunstkeurder, kunstgaarder », *Maandblad voor beeldende kunsten*, 1950.

HENRIET Frédéric, « Le trésor artistique de l'Hôtel-Dieu », *Annales de la société historique et archéologique de Château-Thierry*, 1895.

HOPE W.H. St. John, *Windsor Castle*, Londres, T. I, 1913.

HORSIN DEON, *De la conservation et de la restauration des tableaux*, Paris, 1851.

HOUBRAKEN Arnold, *De groote schouburgh der Nederlantsche konstschilders en schilderessen*, Amsterdam, 1718-1721.

HOURTICQ Louis, « Promenades au Louvre, portraits d'échevins », *Revue de l'art ancien et moderne*, vol. 35, 1914.

HOURTICQ Louis, *De Poussin à Watteau*, Paris, 1921.

HOURTICQ Louis, *La peinture française, XVIIIe siècle*, Paris, 1939.

HUARD Georges, « Delyen », *Les peintres français du XVIIIe siècle* (sous la direction de Louis Dimier), Paris et Bruxelles, t. I, 1928.

HUISMAN Philippe, « Une école oubliée », *L'Œil*, n° 16, avril 1956.

INGAMELLS John, « Louis XIV and his heirs », *The Burlington Magazine*, n° 959, février 1983.

JAL Auguste, *Dictionnaire critique de biographie et d'histoire*, Paris, 1872.

JARRASSE Dominique, *La peinture française au XVIIIe siècle*, Paris, 1998.

JAY Louis-Joseph, *Notices des tableaux, statues, bustes et dessins du musée de Grenoble*, s. l., an IX.

JEFFARES Neil, « L'Abbé Pommyer, honoraire amateur de l'Académie royale de peinture », *Gazette des Beaux-Arts*, juin 2001.
JOUIN Henri, *Le musée des portraits d'artistes*, Paris, 1888.
KELCH Jan et GROSSHANS Rainald (éd.), *Gemäldegalerie Berlin, 50 Masterpieces*, Londres 2001.
LACLOTTE Michel, *Musée national du Louvre, Catalogue des peintures, I, École française*, Paris, 1972.
LACLOTTE Michel et CUZIN Jean-Pierre, *Le Louvre, La peinture française*, Paris, 1989.
LACLOTTE Michel et CUZIN Jean-Pierre, *Le Louvre, La peinture européenne*, Paris, 1993.
LAFFON Juliette, *Catalogue sommaire illustré des peintures, musée du Petit Palais*, 2 vol., Paris, 1982 (non paginé).
LANE William Coolidge et BROWNE Nina E., *Library of Congress, American Library Association, Portrait Index*, Washington, 1906.
LASTIC Georges de, « Nicolas de Largillierre peintre de natures mortes », *La revue du Louvre et des musées de France*, 1968, n° 4-5.
LASTIC Georges de, « Rigaud, Largillierre et le tableau du prévôt et des échevins de la ville de Paris de 1689 », *Bulletin de la Société de l'Histoire de l'Art Français*, 1976 (année 1975).
LASTIC Georges de, « Largillierre's Portrait of Madame Aubry », *The Minneapolis Institute of Arts Bulletin*, vol. LXIII (1976-1977), 1979a.
LASTIC Georges de, « Portraits d'artistes de Largillierre », *L'Art aux enchères, Connaissance des arts*, n° 9, 1979b.
LASTIC, Georges de, « Le Brun et Largillierre autour d'un *autoportrait* », *Bulletin de la Société de l'histoire de l'art français* (année 1977), Paris, 1979c.
LASTIC, Georges de, « Nicolas de Largillierre, documents notariés inédits », *Gazette des Beaux-Arts*, juillet 1981.
LASTIC Georges de, « Largillierre et ses modèles, Problèmes d'iconographie », *L'Œil*, n° 323, juin 1982.
LASTIC Georges de, « Largillierre à Montréal », *Gazette des Beaux-Arts*, juillet 1983a.
LASTIC Georges de, « Louis XIV and his heirs in the Wallace Collection », *The Burlington Magazine*, n° 964, juillet 1983b.
LASTIC Georges de, « Propos sur Nicolas de Largillierre en marge d'une exposition », *Revue de l'art*, n° 61, 1983c.
LASTIC Georges de, « Nicolas de Largillierre : heurs et malheurs d'un chef-d'œuvre », *L'Œil*, n° 365, décembre 1985.
LA TREMOÏLLE Louis-Charles duc de, *Les La Trémoïlle pendant cinq siècles*, 5 vol., Nantes, 1890-1896.
LAUTS Jan, *Die Staatliche Kunsthalle Karlsruhe*, Hanau, 1968.
LAUTS Jan, *Staatliche Kunsthalle, Karlsruhe, Französische Bildnisse des 17. und 18. Jahrhunderts*, Karlsruhe, 1971.
LAUTS Jan, « Stilleben alter Meister », *Bildhefte der Staatlichen Kunsthalle Karlsruhe*, n° 7, 1986.
LAVALLEE Pierre, « Les dessins de Largillierre à la bibliothèque de l'école des Beaux-Arts », *Bulletin de la société de l'histoire de l'art français*, 1921.
LE BIHAN Olivier, « Trophées de chasse, multiples cibles », *Connaissance des arts*, décembre 1991.
LEVEY Michael, *L'art du XVIIIe siècle, peinture et sculpture en France 1700-1789*, Paris, 1993.
MacGREGOR William B., « Le Portrait de gentilhomme de Largillierre : un exercice d'attention », *Revue de l'art*, 1993, n° 100.
MAISON Françoise et ROSENBERG Pierre, « Largillierre peintre d'histoire et paysagiste », *La revue du Louvre et des musées de France*, 1973, n° 2.
MANTZ Paul, « La collection La Caze au musée du Louvre », *Gazette des Beaux-Arts*, juillet 1870.
MANTZ Paul, « La galerie de M. Rothan », *Gazette des Beaux-Arts*, 1873, II.
MANTZ Paul, « Largillière (premier article) », *Gazette des Beaux-Arts*, 1893a, II.
MANTZ Paul, « Largillière (deuxième et dernier article) », *Gazette des Beaux-Arts*, 1893b, II.
MARCEL Pierre, *La peinture française de la mort de Le Brun à la mort de Watteau*, Paris, 1906.
MARGERIE E. de (dir.), *Musées en Alsace*, Strasbourg, 1977.
MARIETTE Pierre-Jean, *Abecedario*, publié par Philippe de Chennevières et Anatole de Montaiglon, T. III, Paris, 1854-1856.
MARQUET DE VASSELOT J. J., *Histoire du portrait en France*, Paris, 1880.
MEROT Alain, *La peinture française au XVIIe siècle*, Paris, 1994.
MEYER L., « Naissance d'un musée à Château-Thierry : le trésor de l'Hôtel-Dieu », *L'Œil*, n° 437, 1991.
MILLAR Olivar, *Sir Peter Lely* (catalogue de l'exposition), Londres, 1978.
MONTAIGLON Anatole de, *Proçès-verbaux de l'Académie royale de peinture et de sculpture*, 1648-1793, 10 vol. Paris, 1875-1892.
MIRIMONDE Albert-Pomme de, « Musiciens isolés et portraits de l'école française du XVIIIe siècle dans les collections nationales », *Revue du Louvre*, 1966, n° 3.
MONTAIGLON Anatole de, *Descriptions de l'Académie royale de peinture et de sculpture*, Paris, 1893.
MONTGOLFIER Bernard de et GALLET Michel, « Souvenirs de Voltaire et de Rousseau au musée Carnavalet », *Bulletin du musée Carnavalet*, 1960, n° 2.
MONTGOLFIER Bernard de, *Le musée Carnavalet, l'histoire de Paris illustrée, un aperçu des collections*, Paris, 1986.
MONTGOLFIER Bernard de, *Musée Carnavalet, guide général*, Paris, 1989.
MONVAL Georges, *Les collections de la Comédie-Française, catalogue historique et raisonné*, Paris, 1897.
MOREL D'ARLEUX, *Inventaire manuscrit des dessins du Louvre établi par Morel d'Arleux, conservateur du cabinet des dessins du Louvre, de 1797 à 1827*, 9 vol.
National Gallery of Art, European Paintings : Illustrated Summary Catalogue, Washington, 1974.
MOUREAU François (dir.), *Antoine Watteau (1684-1721), le peintre, son temps, sa légende*, colloque international, Genève, 1987.
NOLHAC Pierre de et PERATE André, *Le musée national de Versailles*, Paris, 1896.
NOTTER Annick et AMBROISE Guillaume, *Le musée des Beaux-Arts d'Arras*, Paris, 1998.
OPPERMAN Hal, *Jean-Baptiste Oudry*, New York, 1977.

NOTTER Annick (dir.), *Les maîtres retrouvés, peintures françaises du XVII*[e] *siècle du musée des Beaux-Arts d'Orléans*, Paris, 2002.
OPPERMAN Hal, notice « Largillierre », *The Dictionary of Art*, Londres, New York, t. 18, 1996.
OUDRY Jean-Baptiste, « Réflexions sur la manière d'étudier la couleur en comparant les objets les uns avec les autres : mémoire lu à l'Académie royale de peinture et de sculpture dans la séance du 7 juin 1749 », *Le Cabinet de l'amateur et de l'antiquaire*, Paris, t. III, 1844.
OURSEL Hervé, *Les acquisitions du musée d'Arras de 1944 à 1967, numéro spécial du Bulletin de la Société des Amis du Musée d'Arras*, n° 2, 1968a.
OURSEL Hervé, « Les acquisitions du musée d'Arras », *La revue du Louvre et des musées de France*, 1968b, n° 4-5.
OURSEL Hervé, *Guide du musée d'Arras*, Arras, 1969.
PASCAL Georges, *Largillierre*, Paris, 1928a.
PASCAL Georges, « L'exposition Largillierre au Petit-Palais », *Beaux-Arts*, 1er juin 1928b, n° 11.
PERRIN Christiane, *François Thomas Germain orfèvre des rois*, Saint-Rémy-en-l'Eau, 1993.
PILES Roger de, *Cours de peinture par principes*, Paris, 1708.
PILOT DE THOREY Emmanuel, « Documents et renseignements historiques sur le musée de Grenoble », *Bulletin de la société statistique des sciences naturelles et des arts industriels du département de l'Isère*, t. X, 1880 (pagination utilisée : tirée-à-part, Grenoble, Maisonville, 1881).
RATOUIS DE LIMAY Paul, « Trois collectionneurs du XIXe siècle, II, le docteur La Caze », *Le dessin*, juin-juillet 1938.
REAU Louis, *Histoire de la peinture française au XVIII*[e] *siècle*, Paris, 1925.
REISET François, *Notice des tableaux légués au musée impérial du Louvre par M. Louis La Caze*, Paris, 1870.
RHEIMS Maurice, *Musées de France*, Paris, 1973.
ROBIQUET Jean, *La femme dans la peinture française, XV*[e]*-XX*[e] *siècle*, Paris, 1938.
ROGER-MILES Léon, « Les grandes ventes prochaines », *Bulletin de l'art, supplément de la Revue de l'art ancien et moderne*, vol. XLVII, 1925.
ROLAND-MICHEL Marianne, *Le dessin français au XVIII*[e] *siècle*, Paris, 1987.
ROMAND Joseph, *Inventaire général des richesses d'art de la France, Monuments civils*, t. VI, Musée-Bibliothèque de Grenoble, Paris, 1892.
ROMBOUTS P. et VAN LERIUS T., *Die Liggeren en andere historische archieven der Antwerpsche Sint-Lucasgilde*, Amsterdam, 1961.
ROSENBERG Pierre, *Dessins et aquarelles des grands maîtres, Le XVII*[e] *siècle français*, Paris, 1976.
ROSENBERG Pierre et STEWART Marion C., *French Paintings 1500-1825, The Fine Arts Museums of San Francisco*, San Francisco, 1987.
ROSENBERG Pierre, « Un nouveau tableau à sujet religieux de Nicolas de Largillierre », *La revue du Louvre et des musées de France*, 1989, n° 4.
ROSENBERG Pierre (dir.), *La peinture française*, 2 vol., Paris, 2001.
ROSENFELD Myra Nan, *Largillierre portraitiste du dix-huitième siècle* (catalogue de l'exposition de 1981), Montréal, 1982.
ROSENFELD Myra Nan, « Largillierre : problèmes de méthodologie », *Revue de l'art*, n° 66, 1984.
ROSENFELD Myra Nan, « La culture de Largillierre », *Revue de l'art*, n° 92, 1992.
SALVI Claudia, *D'après nature, la nature morte en France au XVII*[e] *siècle*, Tournai, 2000.
SCHREIDER Pierre, « Jacques Van Schuppen 1670-1751 », *Wiener Jahrbuch für Kunstgeschichte*, t. XXXV, 1982.
SCHWEERS Hans F., *Gemälde in deutschen Museen*, 10 vol., Munich, New Providence, Londres, Paris, 1994.
SCOTT Barbara, « La Live de Jully, pioneer of neo-classicism », *Apollo*, n° 131, janvier 1973.
SITWELL S., « The Pleasures of the Senses », *Apollo*, vol. 87, 1968.
SMITH Joan Van Renssalaer, *Nicolas de Largillierre, a Painter of the Régence*, thèse présentée à la Faculty of Graduate School, université du Minnesota, août 1964.
SOULIE Eudore, *Notice du musée impérial de Versailles*, 3 vol. Paris, 1880-1881.
SUIDA W. et SHAPLEY J., *National Gallery of Art, Paintings and Sculpture from the Kresse Collection, Acquired by the Samuel H. Kress Foundation, 1951-1956*, Washington, 1956.
THUILLIER Jacques et CHATELET Albert, *La peinture française de Le Nain à Fragonard*, 2 vol., Genève, 1964.
VAILLAT Léandre, *La société du XVIII*[e] *siècle et ses peintres*, Paris, 1912.
VALLERY-RADOT Jean, *Le dessin français au XVII*[e] *siècle*, Lausanne, 1953.
VALMY-BAYSSE Jean, *Naissance et vie de la Comédie-Française*, Paris, 1945.
VERGNET-RUIZ Jean et LACLOTTE Michel, *Petits et grands musées de France*, Paris, 1962.
VERTUE George, *The note-books of G. Vertue relating to artists and collections in England*, Walpole society, vol. 18, 20, 22, 24, 25, 26, 30, Oxford, 1930-1955.
VILAIN Jacques, « Peintures de l'école française du XVIIIe siècle », *La revue du Louvre et des musées de France*, 1972, n° 4-5.
WAKEFIELD David, *French Eighteenth Century Painting*, Londres, 1984.
WALKER John, *The National Gallery of Art*, Washington, 1976.
WALKER John, *National Gallery of Art Washington*, New York, 1995.
WALLENS Gérard de, « Les deux morceaux de réception de Jacques-François Delyen (Gand 1684 – Paris 1761). Étude matérielle, historique, technique et stylistique », *Revue des Archéologues et Historiens d'art de Louvain*, Louvain-La-Neuve, 1996.
WATERHOUSE Ellis K., *Painting in Britain 1530 to 1790*, Harmondsworth, 1953.
WATERHOUSE Ellis K., *The Dictionary of 16th & 17th Century British Painters*, Woodbridge, 1988.
WEISBACH Werner, *Französische des XVII Jahrhunderts*, Berlin, 1932.
WHINNEY M. et MILLAR Olivar., *English Art 1625-1714*, Oxford, 1957.
WILENSKI R. H., *French Painting*, New York, 1973.
WILLE Jean-Georges, *Mémoires et journal*, publié par Georges Duplessis, T. I, Paris, 1857.
WRIGHT Christopher, *Old Master Paintings in Britain*, Londres, 1976.

1834, Strasbourg (ancien château royal), *galerie Mayno.*
1860, Paris (26 boulevard des Italiens), *Catalogue de tableaux et dessins de l'école française principalement du XVIIIe siècle tirés de collections d'amateurs et exposés au profit de la Caisse de secours des artistes peintres.*
1902, Londres (Guildhall), *French and English Painters of the XVIII Century.*
1909, Paris (salle du Jeu de paume), *Cent portraits de femmes des écoles anglaise et française du XVIIIe siècle.*
1926, Amsterdam (musée de l'État), *Exposition rétrospective d'art français.*
1928, Paris (Palais des Beaux-Arts de la ville de Paris, Petit Palais), *Nicolas de Largillierre* (deux éditions différentes du catalogue).
1933, Paris (École nationale supérieure des Beaux-Arts), *Art français des XVIIe et XVIIIe siècles.*
1934, Birmingham (City Museum and Art Gallery), *Jubilee Commemorative Exhibition.*
1934, Paris (Salon des arts ménagers), *Le décor dans l'habitation.*
1935, Copenhague (palais de Charlottenbourg), *L'art français du XVIIIe siècle.*
1935a, Paris (Bibliothèque nationale), *Troisième centenaire de l'Académie française.*
1935b, Paris (Petit Palais), *Chefs-d'œuvre du musée de Grenoble.*
1937, Paris (Palais national des Arts), *Chefs-d'œuvre de l'art français.*
1942, Paris, *galerie Serge Roche.*
1950, Paris (musée Carnavalet), *Chefs-d'œuvre des collections parisiennes.*
1952a, Paris (galerie Charpentier), *Cent portraits d'hommes du XIVe siècle à nos jours.*
1952b, Paris (musée de l'Orangerie), *La nature morte de l'antiquité à nos jours.*
1953, Birmingham (City Museum and Art Gallery), *Works of Art from Midland Houses.*
1953, Rennes (hôtel de ville), *Natures mortes anciennes et modernes.*
1954, Paris (musée des Arts décoratifs), *Les Trésors de l'orfèvrerie au Portugal.*
1954, Rotterdam (musée Boymans-van Beuningen), *Vier Eeuwen stilleven in Frankrijk.*
1954, Saint-Étienne (Musée d'art et d'industrie), *Natures mortes de l'antiquité au XVIIIe siècle.*
1954-1955, Londres (Royal Academy of Arts), *European Masters of the 18th Century.*
1955, Paris (Bibliothèque nationale), *Saint-Simon 1675-1755.*
1956, Bristol (Museum and Art Gallery), *French XVIIth Century Drawings* (catalogue ronéotypé, non paginé).
1956, Brive-la-Gaillarde (musée), *Le cardinal Dubois et son temps.*
1956, Portland (Portland Museum of Art), *Paintings from the Collection of Walter P. Chrysler Jr.*
1956-1957, Londres (Royal Academy of Art), *British Portraits.*
1958, Londres (Royal Academy), *The Age of Louis XIV.*
1958a, Paris (musée de l'Orangerie), *L'art français et l'Europe aux XVIIe et XVIIIe siècles.*
1958b, Paris (musée du Petit Palais), *Le XVIIe siècle français.*
1959, Courbevoie (Musée), *La vigne et les oiseaux.*
1959, Paris (galerie Heim), *Hommage à Chardin.*
1960a, Paris (galerie André Weil), *La nature morte et son inspiration.*
1960b, Paris (musée du Louvre), *700 tableaux de toutes les écoles antérieures à 1800, tirés des réserves du Département des peintures.*
1960-1961, Londres (Royal Academy), *The Age of Charles II.*
1960-1961, Washington (National Gallery of Art), Toledo (Toledo Museum of Art), New York (The Metropolitan Museum of Art), *The Splendid Century, French Art : 1600-1715.*
1961-1963, Lisbonne (Museu Nacional de Arte Antiga), *Pinturas da Colecção da Fundação Calouste Gulbenkian.*
1962, Milan (Palazzo reale), *Il Rittrato francese da Clouet a Degas.*
1962, Sceaux (musée de l'Île-de-France), Bruxelles (palais des Beaux-Arts), *Île-de-France – Brabant.*
1962, Versailles (Musée national du château), *La Comédie-Française 1680-1962.*
1962-1963, Chicago (Art Institute), Toledo (Toledo Museum of Art), Los Angeles (Los Angeles County Museum of Art), San Francisco (California Palace of the Legion of Honor), *Treasures of Versailles.*
1963, New York (Finch College Museum of Art), *French Masters of the 18th Century.*
1964, Paris (Bibliothèque nationale), *Jean-Philippe Rameau (1683-1764).*
1965, Oeiras (Palácio Pombal), *Obras de Arte da Colecção Calouste Gulbenkian.*
1966, Vienne (Oberes Belvedere), *Kunst und Geist Frankreichs im 18. Jahrhundert.*
1967, Paris (musée du Louvre), *Dessins français du XVIIIe siècle, amis et contemporains de P. J. Mariette.*
1967, New York (Finch College Museum of Art), *Vouet to Rigaud, French Masters of the Seventeenth Century.*
1967-1968, San Diego (Fine Arts Gallery of San Diego), San Francisco (California Palace of the Legion of Honor), Sacramento (E.G. Crocker Art Gallery), Santa Barbara (Santa Barbara Museum of Art), *French Paintings from French Museums, XVII-XVIII Centuries.*
1968, Lille (palais des Beaux-Arts), *Au temps du Roi Soleil, les peintres de Louis XIV (1660-1715).*
1968, Londres (Royal Academy), *France in the 18th Century.*
1968-1969, New York (Wildenstein), *Gods and Heroes, Baroque Images of Antiquity.*
1973, Bruxelles (palais des Beaux-Arts), *Treasurers from the Country Houses of the National Trust of England and the National Trust of Scotland.*
1973, Northbridge (California State University, Fine Arts Gallery), *Baroque Masters from the J. Paul Getty Museum.*
1974-1976, Paris (exposition circulante), *La Comédie-Française, collections et documents.*
1975, Bruxelles (palais des Beaux-Arts), *De Watteau à David, Peintures et dessins des musées de province français.*
1975, Paris (musée Carnavalet), *L'ancien hôtel de ville de Paris et la place de Grève.*
1975-1976, Toledo (The Toledo Museum of Art), Chicago (The Art

Institute of Chicago), Ottawa (Galerie nationale du Canada), *Le siècle de Louis XV, peinture française de 1710 à 1774.*
1976, Rome (palais Braschi), *L'hôtel de ville de Paris.*
1977, Florence (palais Pitti), *Pittura francese nelle collezioni pubbliche fiorentine.*
1977, Nashville (Tennesse Fine Arts Center), *Treasures from the Chrysler Museum at Norfolk and Walter P. Chrysler, Jr.*
1978, Bordeaux (galerie des Beaux-Arts), *La nature morte de Brueghel à Soutine.*
1978, Moscou (musée Pouchkine), Léningrad (Ermitage), *De Watteau à David, tableaux français du XVIII*[e] *siècle des musées français.*
1978, Sceaux (musée de l'Île-de-France, orangerie du château de Sceaux), *Voltaire, voyageur de l'Europe.*
1978-1979, Londres (National Portrait Gallery), *Sir Peter Lely 1618-1680.*
1978-1979, Montréal (musée des Beaux-Arts), *L'Art du connaisseur.*
1979, Cleveland (Cleveland Museum of Art), *Chardin and the Still-Life Tradition in France.*
1979, Bruxelles (palais des Académies), *1000 ans de rayonnement de la culture française.*
1979, Paris (Bibliothèque nationale), *Voltaire, un homme, un siècle.*
1979-1980, Paris (musée des Arts décoratifs), *La famille des portraits.*
1980, Berlin (Staatliche Museen), *Bilder vom Menschen in der Kunst des Abendlandes.*
1980, Dunkerque (musée des Beaux-Arts), Valenciennes (musée des Beaux-Arts), Lille (musée des Beaux-Arts), *Trésors des musées du Nord de la France, IV, La peinture française aux XVII*[e] *et XVIII*[e] *siècles.*
1980, Paris (Bibliothèque nationale), *La Comédie-Française.*
1980-1981a, Paris (Grand Palais), *Cinq années d'enrichissement du patrimoine national.*
1980-1981b, Paris (palais de Tokyo), *Portrait et société en France (1715-1789).*
1981, Montréal (musée des Beaux-Arts), *Largillierre, portraitiste du dix-huitième siècle.*
1982-1983, Tokyo (musée Idemitsu), *Chefs-d'œuvre du musée du Petit Palais, Paris.*
1982-1983, Dijon (musée des Beaux-Arts), *Le peinture dans la peinture.*
1982-1983, Paris (Galeries nationales du Grand Palais), *J. B. Oudry 1686-1755.*
1983-1984, Washington (National Portrait Gallery), *Masterpieces from Versailles, Three Centuries of French Portraiture.*
1985, Florence (Palais Pitti), *Capolavori da Versailles, Tre secoli di rittrato francese.*
1985, Lille (musée des Beaux-Arts), *Au temps de Watteau, Fragonard et Chardin. Les Pays-Bas et les peintres français du XVIII*[e] *siècle.*
1986-1987, Paris (Grand Palais), *La France et la Russie au siècle des Lumières.*
1987-1988, Cholet (Musée municipal), *L'art et la musique.*
1987-1988, Rochester (Memorial Art Gallery of the University of Rochester), New Brunswick (Jane Voorhees Zimmerli Art Museum), Atlanta (High Museum of Art), *La Grande Manière, Historical and religious Painting in France 1700-1800.*
1988, Paris (Hôtel de ville), *Paris et ses rois.*
1989, Okayama (Okayama Prefectural Museum of Art), Kitakyushu (Municipal Museum of Art), *Au temps de Louis XIV, la peinture française de Poussin à Watteau.*
1989, Paris (musée de l'Assistance publique), *La Révolution française et les hôpitaux parisiens.*
1990, Paris (musée d'Orsay), Francfort (Schirn Kunsthalle), *Le corps en morceaux.*
1991, Bordeaux (musée des Beaux-Arts), *Trophées de chasse.*
1991, Tokyo (musée d'Art occidental), *Portraits du Louvre.*
1992-1993, Dijon (musée des Beaux-Arts), Paris (Institut Néerlandais), Rotterdam (musée Boymans-van Beuningen), *Chefs-d'œuvre de la peinture française des musées néerlandais, XVII*[e]*-XVIII*[e] *siècles.*
1994, Barcelone (Centro cultural de la Fundación « La Caixa »), *Versalles, Retrats d'una societat.*
1994, Paris (musée Carnavalet), *Paris de l'antiquité à nos jours, dix ans d'acquisition du musée Carnavalet.*
1995, Taïpeh (musée national du Palais), *Le paysage dans la peinture occidentale du XVI*[e] *au XIX*[e] *siècles, chefs-d'œuvre du musée du Louvre.*
1994-1995, Paris (hôtel de la Monnaie), *Voltaire et l'Europe.*
1997-1998, Nantes (musée des Beaux-Arts), Toulouse (musée des Augustins), *Visages du Grand Siècle.*
2000, Meaux (musée Bossuet), *Hyacinthe Rigaud dessinateur.*
2000-2001, Paris (musée du Louvre), *D'après l'antique.*
2000-2001, Versailles (Musée national du château), *Chefs-d'œuvre du musée Gulbenkian, meubles et objets royaux du XVIII*[e] *siècle français.*
2001-2002, Paris (musée de la Musique), *Figures de la passion.*
2002, Lyon (musée des Beaux-Arts), *L'école de Barbizon : peindre en plein air avant l'impressionnisme.*
2002, Orléans (musée des Beaux-Arts), *Les maîtres retrouvés, peintures françaises du XVII*[e] *siècle du musée des Beaux-Arts d'Orléans.*

CRÉDITS PHOTOGRAPHIQUES

Agraci : p. 181.
D. Bordes : p. 29, 58, 149, 155, 159, 183.
Arch. D. Brême : p. 20, 27, 32, 37, 41, 43, 48, 54, 55, 121, 131, 137, 171, 177.
Bridgeman-Giraudon : p. 33.
Château-Thierry : p. 143.
Christie's : p. 23, 97, 133.
Chrysler Museum of Art, Norfolk, VA, gift of the Walter P. Chrysler, JR : p. 91.
Coll. Comédie-Française : p. 163.
Courtauld Institute of Art, Londres : p. 129.
ENSBA, Paris : p. 112 à 119.
L. Gonzales : p. 99, 101, 111.
Institut de France, Musée Jacquemart-André, Paris : p. 11 à 16.
Institut néerlandais, Paris : p. 139.
Musée des Beaux-Arts, Arras/Sipa, Paris : p. 103.
Musée des Beaux-Arts, Orléans : p. 95.
Musée des Beaux-Arts, Quimper/L. Robin : p. 185.
Musée des Beaux-Arts, Strasbourg/A. Plisson : p. 157.
Musée de Grenoble : p. 123, 145, 147.
S. Nagy : p. 127.
National Gallery of Art, Washington : p. 141.
Partridge Fine Arts Ltd, Londres : p. 30.
J. Paul Getty Museum, Malibu/Meluso : p. 175.
Phileas Fogg : p. 67, 125, 135.
PMVP/Habouzit : p. 79.
PMVP/Lifermann : p. 87.
PMVP/E. Michot : p. 44.
PMVP/Pierrain : p. 151.
Prudence Cuming Associates Limited : p. 34.
M. Ramalho : p. 167.
RMN : p. 73, 107.
RMN/G. Blot : p. 65, 75, 83.
RMN/G. Blot-H. Lewandowski : p. 77.
RMN/H. Lewandowski : p. 71, 81, 109.
RMN/R.-G. Ojeda : p. 36.
RMN/F. Raux : p. 165.
J.-M. Routhier : p. 69, 153, 179.
Ph. Sebert : p. 49, 105.
Sotheby's : p. 50, 173.
Staatliche Kunsthalle, Karlsruhe : p. 169.
Staatliche Museen zu Berlin/Jörg P. Anders : p. 161.
C. Uht : p. 38.
Droits réservés : p. 93.

Responsable éditoriale : Agnès Cuchet.
Conception graphique : Sophie Charbonnel.
Correction, révision : Patrice Oliete Loscos

Achevé d'imprimer en septembre 2003
sur les presses de la Société d'Imprimerie d'Art, à Lavaur,
pour le compte des éditions Phileas Fogg.
Chromie : Guy Marty.
Dépôt légal : octobre 2003.
ISBN : 2-914498-12-8
F7 9954

Diffusion Actes Sud. Distribution UD-Union Distribution.